CW00410563

Biblioteca Universale Rizzoli

Ivan S. Turgenev

PRIMO AMORE

IL CANTO DELL'AMORE TRIONFANTE

A cura di Eridano Bazzarelli

CLASSICI MODERNI

Proprietà letteraria riservata
© 2004 RCS Libri S.p.A., Milano

ISBN 88-17-00214-3

Titolo originale dell'opera:
Pervaja ljubov'
Pesn' torzestvujuščej ljubvi

Prima edizione: giugno 2004

INTRODUZIONE

Vengono pubblicati in questo volume della Bur due bellissimi racconti di Turgenev, il cui tema è l'amore. Nel primo, *Primo amore*, c'è la storia, fatta di esaltazione e di delusione amara, di un ragazzo, Vladimir, che la protagonista Zinaida vuole chiamare con il nome capriccioso di Voldemar (Vol'demar), che è poi la forma germanica di Vladimiro. Vladimiro ha sedici anni e si innamora perdutamente della bellissima e strana Zinaida. E poi si accorge che questa ragazza, che per lui è l'incarnazione suprema dell'eterno femminino, quale può apparire a un ragazzo della sua età, è innamorata del padre, è, anzi, l'amante del padre. La storia spirituale, psicologica, tormentosa e dolcissima nella sua amarezza di questo amore costituisce il tessuto del racconto, ambientato nella Russia degli anni '30 del secolo XIX. Il secondo racconto *Il canto dell'amore trionfante* è invece «esotico», nel senso che la vicenda si svolge nella Ferrara rinascimentale, al tempo dell'Ariosto, ed è incentrato sulla figura torbida, oscura, terribile, di Muzio che è un esperto di magia nera, da lui imparata nei suoi viaggi in Oriente, e per mezzo della magia, nonostante le promesse, vuole riavere l'amore di Valeria, felicemente e borghesemente sposata con Fabio, suo amico d'infanzia. Per la presenza dominante della magia nera, questo racconto può essere compreso nella serie dei cosiddetti racconti turgeneviani del «mistero» (come *Klara Milič*, *Fantasmi* ecc.).

Qui Turgenev tratta magistralmente la storia di una cupa passione, covata per anni (dopo la scelta di Valeria per Fabio, scelta libera, accettata anche da Muzio), e che trova in oscuri riti stregonici una sua manifestazione.

Turgenev è un grande scrittore d'amore: i suoi personaggi si dedicano a questo sentimento e questo sentimento viene poeticamente realizzato nelle forme più varie. In una letteratura universale avente come tema l'amore, Turgenev certamente occupa un posto di grande rilievo e, benché siano passati tanti decenni (morì nel 1883) le sue pagine, grazie alla bellezza inimitabile dello stile, alla capacità poetica di evocazione, sono sempre fresche. Nella storia della «fortuna» degli scrittori russi, Turgenev ha avuto dei rivali che, con la loro massiccia presenza, e con la loro potenza, l'hanno in parte un po' oscurato: ma né Tolstoj né Dostoevskij potranno mai farci dimenticare l'armonia della parola turgeneviana, la dolcezza del suo stile, l'acutezza della sua visione dei sentimenti umani. Per non parlare della purezza della sua lingua inimitabile.

L'idea del racconto *Primo amore* risale alla fine degli anni '50. Lo slavista francese Andre Mazon (in: *Manuscrits parisiens d'Ivan Tourguénev. Notices et extraits par André Mazon*, Paris, 1930) ha trovato un foglio in cui sono indicati i personaggi di due opere di Turgenev, *Primo amore*, appunto, e Insarov (protagonista di *Alla vigilia*). Secondo Mazon questo foglio risalirebbe al 1858. Il nostro racconto, però, come nota lo stesso Turgenev in un frammento manoscritto, venne «incominciato a Pietroburgo all'inizio del 1860. Finito a Pietroburgo il giovedì, 10/22 marzo 1860». Secondo la testimonianza di Ostrovskij (il drammaturgo), Turgenev affermava che il racconto era autobiografico: «In *Primo amore* io ho rappresentato mio padre [...] Mio padre era un bell'uomo, posso dirlo perché io non assomiglio per niente a lui, io ho preso da mia madre. Egli era una vera bellezza russa. Di solito si comportava freddamente, in modo inaccessibile, ma se gli si piaceva, ecco che nel suo volto, nei suoi modi, appariva qualcosa di assolutamente incantevole. Ciò appariva in modo particolare con le donne che gli piacevano» (cfr. Turgenev, *Sočinenija v pjadnadcati tomach, Sočinenija, Tom Devjatyj, Povesti i Rasskazy. «Dym»*, 1860-1867, Moskva-Leningrad, 1965, p. 460). I manoscritti che ci sono pervenuti permettono di ricostruire le fasi del lavoro dello scrittore: qui ci limiteremo con il dire che Turgenev non ha attribuito subito a Vladimir l'età del testo definitivo, cioè sedici anni. All'inizio erano quindici anni. Sedici anni: questa fu la conclusione apparsa nel testo stampato («Biblioteka dlja čtenija», 1860, n. 3, otdel I, pp. 1-76). A quindici anni, ritenne l'autore, non si potevano forse avere ancora tutte quelle sensazioni e quei sentimenti, quali appaiono nel racconto. Anche per la vicenda del rapporto padre/figlio l'autore ebbe dei dubbi, come risulta dalle redazioni precedenti e dalle varianti. Invece del padre, si ha uno «zio» (e Volodja è orfano) e un patrigno. Se è vero che Turgenev ebbe in mente lo studio dei rapporti, difficili, tra padre e figlio (ed è un argomento che verrà sviluppato addirittura in un romanzo), è anche giusto dire che il vero tema del racconto non mi sembra questo: il tema è l'intreccio tra lo svegliarsi del sentimento amoroso nell'adolescente e la fortissima delusione che ne consegue, specialmente dopo che il ragazzo è venuto a sapere che suo padre era il rivale.

Di particolare impegno il modo come l'autore ricrea il travaglio psicologico del ragazzo, la sua ingenuità, il risvegliarsi ancora oscuro dei sensi, la sua docilità all'imperio di Zinaida. E Zinaida entra senz'altro nel novero delle molte donne turgeneviane, alle quali ha giustamente dedicato la sua attenzione la critica, donne che possiamo rozzamente dividere in due categorie: le «altruiste» e le «egoiste». Tra le altruiste, la protagonista di *Alla vigilia*, come Elena, che si dedica, dopo la morte dell'amato Insarov, alla sua causa; e tra le egoiste, oltre all'affascinante e abbastanza complicata Anna Odincova (di *Padri e Figli*), o alla pure affascinante, e così egoista e capricciosa, Irina Ratmirova (di *Fumo*), c'è la nostra Zinaida. Prima di arrivare all'aggettivo che definisce gli occhi di questa fanciulla, «svetlye» «luminosi», Turgenev fece quattro tentativi: «prekrasnye» «bellissimi», «glubokie temno-serye» «profondi, grigio-scuri», «(laskovye) čudesnye» «(carezzevoli) meravigliosi», «svetlye živye» «luminosi vivi». In questa piccola serie di epiteti ci si presenta il metodo di lavoro creativo, artistico, di Turgenev: la sua ricerca della forma perfetta. E, al troppo generico «bellissimi», all'incerto e complicato «profondi, grigio-scuri», al pure generico ed esagerato «čudesnye» «meravigliosi» (che è persino un po' volgare) il poeta arriva a quel luminosi che sembra fatto apposta per una creatura, che è di luce (ma anche di tenebra) come la bella Zinaida. Che ha ventun anni. Nell'elenco dei personaggi, quale si legge nel «černovoj avtograf», autografo di minuta, ai personaggi vengono attribuite queste età:

«Io, ragazzo (13) 15 anni.
Mio (padre) (zio) (48) 38 anni.
Mia madre (36) 40 anni.
Zinaida Nikolaevna[1] 20 anni.
Sua madre 45 anni, suo fratello, 14 anni.
L'ussaro Belovzorov, 26 anni.
Majdanov, poeta della scu(ola) roman(tica), 22 anni.
Lušin, Voin Osipovič, 34 anni.
Il conte Malevskij, 30 anni.
Nirmackij (56) 50 anni.

[1] Nel testo Zinaida Aleksandrovna.

La lettura di questo elenco, è molto interessante, perché ci mette davanti, per così dire, il nucleo iniziale dell'intuizione turgeneviana del racconto. Zinaida comunque mantiene, nel racconto, quasi, la sua età (nel testo definitivo Zinaida dice a Volodja di avere ventun anni). Poiché la figura di questa «eroina» non rispondeva a certe esigenze morali, Turgenev dovette anche difendersi (e aggiungere una specie di pistolotto finale alla traduzione francese, per soddisfazione dei critici moralisti). Tuttavia Zinaida, che certo gioca con i suoi ammiratori, e gioca in particolare con Volodja (nel capitolo IX Volodja dice che Zinaida giocava con lui come il gatto con il topo) è giustificata dalla «inevitabilità» del suo amore. E questo lo afferma lei stessa, ricordando una poesia di Puškin, in cui l'eroe lirico dice che vorrebbe non amare, ma non può non amare. La concezione quindi dell'amore come fatalità, come inevitabile sorte. Volodja non si rende conto subito che il rivale, di cui sospetta l'esistenza, è il suo stesso padre. Ma Zinaida, in modo teatrale, racconta ai suoi amici, la sua vera storia, la storia che sta vivendo in quel momento, quando, nel capitolo XI, dice quale poema scriverebbe, se fosse un poeta come Majdanov (si discuteva, appunto, del poema di Majdanov): e soggetto di questo poema di Zinaida doveva essere la storia di una fanciulla vestita di bianco, con bianche ghirlande, trascinata via da un gruppo di baccanti. La fanciulla vestita di bianco, con ghirlande bianche, trascinata nel ritmo furibondo delle baccanti con anelli d'oro alle caviglie, non poteva che essere lei, trascinata, appunto da un amore che più peccaminoso di così non poteva essere. Questo amore per un uomo sposato, molto più vecchio di lei, un amore senza speranze e senza prospettive, non la rende felice. E Zinaida non è felice. Ma, come dice Puškin nella sua poesia, che Volodja le recita, non può non amare. Turgenev narra questo amore, lo motiva (c'era anche il bisogno, da parte di Zinaida, di liberarsi dall'atmosfera miserabile e volgare della sua casa). Il carattere, la storia, la tristezza di Zinaida possono spiegare, almeno in parte, i suoi atteggiamenti nei confronti di Volodja. La ragazza fa innamorare di sé l'inesperto ragazzo, gioca con lui, ora è tenera, ora crudele (a volte con forme di crudeltà infantile: quando, per esempio, gli tira i capelli). Si spaventa, quando lui cade dal muretto, per obbedire ai suoi ordini, e lo bacia, cosa che fa andare in deliquio il ragazzo. Gioca con lui, lo stuzzica, lo tormenta, gli chiede perdono, approfitta dell'innocenza e dello smarrimento del ragazzo (forse si vuol vendicare, magari inconsciamente, della sua stessa debolezza di fronte al padre di Volodja: una sottomissione tale, per cui bacia la striscia della frustata infertale da Pjotr Vasil'evič).

Questo personaggio è creato in modo avvincente e convincente: Zinaida è, certo, una «coquette», ma il suo esserlo fa parte del suo essere donna, in un contesto come quello in cui viveva lei, con il suo bisogno di libertà, d'amore, e anche di lusso, e il suo essere donna non suscita nessuna reazione negativa: anzi, suscita in noi attrazione, perché Zinaida è un personaggio totalmente poetico.

Non certo molto simpatica è la figura del padre: l'aria di mistero di cui lo circonda l'autore non serve a farne un personaggio accattivante. Nelle redazioni più antiche del racconto, l'egoismo di Pjotr Vasil'evič è più sottolineato. Ma rimane: del resto, morirà abbastanza giovane. L'amore del racconto è accompagnato da un destino tragico, secondo un modulo ancora romantico. Belovzorov parte per il Caucaso, come un eroe di Lermontov o come lo stesso Lermontov, per allontanarsi da Zinaida, che gioca anche con lui. E Belovzorov è un giovane troppo serio e romantico per «giocare». E Zinaida morirà di parto, senza che Volodja la possa rivedere (per fatalità, rimanda la visita). In una redazione precedente Zinaida, dopo essersi sposata, va all'estero. E molto più tardi Volodja viene a sapere della sua morte.

Il racconto è dunque la storia dell'iniziazione amorosa di Volodja, un'iniziazione dolce e crudele. È la storia della sua educazione sentimentale: la traccia che ha lasciato nella sua vita rimase indelebile. E la si sente anche nel tono con cui racconta il suo «primo» (e forse unico) amore agli amici riuniti.

La storia di Valeria, di Fabio, di Muzio (*Il canto dell'amore trionfante*) è, invece, «esotica», come si è detto: esotica perché ambientata nella Ferrara del Cinquecento, esotica perché riferisce dei viaggi misteriosi in Oriente di Muzio, esotica perché ha al suo centro una operazione di magia nera. In tutti i «grimoires», in tutti i libri e trattati di magia, c'è anche la formula per far venire a sé una persona desiderata (una donna), per sottometterla ai propri desideri. Muzio, sconfitto perché Valeria sceglie Fabio, parte per l'Oriente e ha un solo scopo: ottenere Valeria, e vendicarsi. Quando ritorna, esperto nelle arti magiche, accompagnato dal servo malese che forse è un demone, mette subito in atto il suo piano: approfittando dell'amicizia e dell'ingenuità di Fabio si fa ospitare in un padiglione accanto alla loro villa e dà inizio al suo rituale magico, al cui centro c'è proprio «Il canto dell'amore trionfante». È banale, ovvio, sottolineare qui l'assurdità di questi riti magici, o magico-ipnotici: la donna amata che risponde alla sollecitazione demoniaca e magica, non è, ovviamente, una donna vera, ma una specie di doppio, una donna ipnotizzata, una donna di legno, che non può amare. Ma forse a Muzio l'amore non interessa, interessa la vendetta e la possibilità di soddisfare un cupo desiderio.

Turgenev incominciò a lavorare a questo racconto nel 1879. Ci sono pervenute due redazioni, e i «prospetti» delle due redazioni stesse (cioè la descrizione della «fabula»). Nella prima redazione, in cui Fabio si chiama Alberto, la conclusione è tragica o più tragica: la pugnalata di Alberto uccide Muzio ma, contemporaneamente, muore anche Valeria, legata a Muzio da misteriosi vincoli magici. Nella seconda redazione, che corrisponde poi al testo pubblicato in «Vestnik Evropy» (N. 11, 1881) Valeria non muore, ma si risveglia come da un incubo. E Muzio, grazie alle arti magiche del misterioso servo malese, non muore neppure lui o, meglio, sembra ritornato vivente. Turgenev non si aspettava un'accoglienza calorosa al suo «pasticcio italiano» (lui stesso usa la parola italiana «pasticcio», per indicare la sua «novella italiana»). Invece il racconto fu accolto assai bene. Naturalmente ci furono critici che obiettarono sul fatto che il racconto non rifletteva i problemi gravi del momento (il 1° marzo 1881 era stato ucciso lo zar Alessandro II). Il racconto fu, per esempio, accusato, a parte la sua bellezza, di essere tutto sommato una specie di esperimento, di essere l'imitazione di una novella italiana del Rinascimento.

Senza dubbio si sente l'intenzione, del resto positiva, di «imitare» una novella italiana del Rinascimento: la vita di Ferrara, la presenza degli Estensi, eccellentissimi protettori delle arti (si parla anche del poema famoso dell'Ariosto, appena uscito), il che però non esclude la presenza di «intonazioni» russe. Per esempio la semplice e appartata vita di Valeria e di sua madre, fa subito pensare a certi personaggi russi tipici: la vedova e sua figlia, che vivevano in modesta e onesta, serena dignità (viene in mente la fidanzata di Evgenij, il protagonista di *Il cavaliere di bronzo* di Puškin). E la fusione con l'elemento orientale è perfetta: il racconto presenta difatti, contemporaneamente, il «colorito»

italiano rinascimentale, e il colorito orientale. L'amore
e la magia costituiscono l'elemento connettivo del racconto. L'amore con quella connotazione sostanzial-
mente tragica che poteva essere ispirata a Turgenev
dalla intensa frequentazione delle opere di Scho-
penhauer. Da una parte l'armonia all'interno della vita
di Valeria e Fabio sembra troppo perfetta. Ma c'era il
fatto che non potevano avere bambini. Valeria è troppo bella, perfetta: e Fabio la dipinge proprio come una
santa, Santa Cecilia. Ma, diremmo noi, il suo fondo un
po' torbido, doveva averlo anche lei, forse. Così «Il
canto dell'amore trionfante», la struggente canzone
orientale, sembra risvegliare, senza che lei se ne renda
conto, proprio questo «fondo». Così come la turba la
collana, certamente magica, che Muzio le regala. Il racconto è molto sottile: Muzio è certo un personaggio
demoniaco, il quale cova per cinque anni la sua rivalsa,
o vendetta, per il rifiuto di Valeria. Nel racconto l'elemento fantastico è, naturalmente, cospicuo: basti pensare ai sogni, che sono simili in Muzio e Valeria, perché
è proprio Muzio che li induce in lei con le sue arti magiche. L'abbandono sessuale di Valeria a Muzio, nel sogno e nella magia, è più «scoperto» nella prima redazione. Nella seconda redazione invece tutto si svolge in
modo più velato. Ma nel «prospetto» della prima redazione, che è assai breve, si legge: «di chi è questo figlio», che Valeria dopo la partenza di Muzio sente pul-
sare sotto il cuore. Nella redazione stampata questa
aperta domanda non viene posta, ma nasce dal mistero
stesso de «Il canto dell'amore trionfante» che Valeria
ode, anche dopo la partenza dello stregone. Riferiamo
al lettore di una curiosità: gli anni in cui Turgenev scriveva e pubblicava questo racconto erano anni in cui gli
intellettuali russi non potevano vivere senza «i problemi», senza la politica, senza l'ideologia. Quindi un racconto, scritto in una lingua meravigliosa, musicale, con

un intreccio letterariamente perfetto, ma privo di discussioni sui grandi problemi (evidentemente la gente non era mai contenta del fatto che Turgenev aveva già dedicato romanzi e racconti ai «problemi», e ne voleva ancora); orbene: racconta Turgenev in una lettera all'amico P.V. Annenkov (del 5 gennaio 1882) che una signora russa aveva voluto a ogni costo «decifrare» che cosa c'era dietro la vicenda di Fabio, Valeria e Muzio. Valeria era la Russia, Fabio il governo, e Muzio il nichilismo. Muzio muore, certo, ma in un certo qual modo, rende fertile la Russia. Il malese muto, a sua volta, era il contadino russo. Altri critici, più acutamente e meno fantasticamente, videro nel racconto una bella storia psicologica. È questa «verità» psicologica che si può scorgere sotto la coltre magica: inoltre pensiamo che sul carattere di Valeria, sempre rinchiusa in casa, il turbamento che le provocava la musica, e non la pittura di Fabio, pittore di sante, fosse molto forte. Valeria in realtà (e qui c'è il tratto profondo e moderno di Turgenev) a un tempo teme ed è attratta da Muzio. E se una parte di lei si reca da lui, e fa l'amore con lui in modo magico-ipnotico, un'altra parte, forse, lo desiderava, e nel profondo e oscuro abisso dell'anima era consenziente. L'amore trionfante non era solo quello di Muzio, ma anche quello di Valeria. Valeria non è certo Madame Bovary, ma ha molte caratteristiche o condizioni per esserlo, o per diventarlo. E difatti Fabio, nella sua impeccabilità, nella sua castità di pittore di Sante Cecilie, non poteva non suscitare almeno un'ombra di noia nella troppo perfetta Valeria. Che sente la propria profonda debolezza e va da un ecclesiastico per confessarsi. E l'ecclesiastico consiglia subito a Fabio di mandar via Muzio. Del resto, quale sciocchezza era stata, quella di ospitarlo! Ma Fabio non poteva capire che Valeria era una donna vera, certo soffocata dall'«abitudine», e che tra un affetto profondo, sincero, ma abitudinario, come quello che legava Fabio e Valeria, e la possibilità di una «passione» travolgente, come quella che poteva suscitare Muzio, questa passione avrebbe potuto anche travolgere le resistenze morali e religiose di Valeria. Che ha, appunto, bisogno del confessore, del marito, ma che viene travolta, nel suo inconscio, dal «Canto dell'amore trionfante». Il soggetto di questo racconto ispirò due compositori russi che, alla fine del secolo scorso, scrissero appunto, due opere (V.N. Gartervel'd e A. Ju. Simon).

Eridano Bazzarelli

PRIMO AMORE

Dedicato a P. V. Annenkov

Gli ospiti se ne erano andati da tempo. L'orologio batté le dodici e mezzo. Nella camera rimasero solo il padrone, Sergej Nikolaevič, e Vladimir Petrovič.

Il padrone suonò e ordinò di portar via gli avanzi della cena.

– Così abbiamo dunque deciso, – disse, sprofondando nella poltrona e accendendosi un sigaro, – ciascuno di noi deve raccontare la storia del suo primo amore. Il turno tocca a voi, Sergej Nikolaevič.

Sergej Nikolaevič un uomo rotondetto, con il volto bianco e un po' gonfio, guardò dapprima il padrone di casa, poi alzò gli occhi al soffitto.

– Non ho avuto un primo amore, – disse alla fine, – ho cominciato direttamente dal secondo.

– Ma in che modo?

– È molto semplice. Avevo diciotto anni quando per la prima volta mi misi a far la corte a una graziosissima signorina; ma le andavo dietro come se la cosa non fosse per me del tutto nuova: proprio come in seguito avrei fatto la corte alle altre. A dire il vero, per la prima e l'ultima volta io mi innamorai all'età di sei anni, più o meno, della mia bambinaia; ma questa è una cosa lontana. I particolari dei nostri rapporti si sono cancellati dalla mia mente, e anche se li ricordassi, a chi potrebbero interessare?

– Ma come? – cominciò il padrone di casa. – Neanche nel mio primo amore ci sono cose molto interessanti; di nessuna mi ero innamorato, prima di Anna Pavlovna, la mia moglie attuale, e tutto fra di noi andò bene, come nel burro: i nostri padri ci fidanzarono, molto presto ci innamorammo l'uno dell'altra e ci sposammo senza alcun indugio. Il mio racconto si può raccontare in due parole. Signori, riconosco che, nel porre la questione del primo amore, speravo in voi, che non siete vecchi, ma neanche giovani scapoli. Forse voi ci potrete intrattenere con qualcosa, Vladimir Petrovič?

– Il mio primo amore appartiene effettivamente al novero degli amori non comuni, – rispose con una piccola esitazione Vladimir Petrovič, un uomo sui quarant'anni, dai capelli neri, un po' brizzolati.

– Ah! – esclamarono insieme il padrone di casa e Sergej Nikolaevič. – Così tanto meglio... Raccontate.

– Permettete... oppure no: non mi metterò a raccontare; non ne sono capace: il mio discorso ne verrebbe fuori secco e breve o lungo e falso; ma se me lo concedete, scriverò tutto quello che mi ricordo e poi vi leggerò il quaderno.

Gli amici dapprima non furono d'accordo, ma Vladimir Petrovič rimase fermo nella sua decisione. Due settimane dopo si ritrovarono di nuovo, e Vladimir Petrovič mantenne la sua parola.

Ed ecco quello che stava scritto nel suo quaderno.

Avevo allora sedici anni. La faccenda accadde durante l'estate del 1833.

Vivevo a Mosca con i miei genitori. Abitavano in una dacia vicino alla barriera di Kaluga, di fronte al Neskučnyj.[1] Mi preparavo per l'esame di ammissione all'università, ma mi impegnavo poco e senza fretta.

Nessuno limitava la mia libertà. Facevo quello che volevo, specialmente da quando mi separai dal mio ultimo istitutore, un francese, che in nessun modo aveva potuto abituarsi al pensiero di essere caduto «come una bomba» (*comme une bombe*) in Russia, e con un'espressione feroce negli occhi se ne stava coricato sul letto per giorni interi. Mio padre con me era indifferente e tenero; la mamma non mi rivolgeva alcuna attenzione, benché non avesse altri figli oltre a me; la prendevano tutte le altre occupazioni. Mio padre, un uomo ancora giovane e molto bello, l'aveva sposata per calcolo; era più anziana di lui di dieci anni. Mia madre trascorreva una vita triste; cra sempre agitata, era gelosa, si irritava – ma non in presenza di mio padre; ne aveva molto timore, ed egli si comportava in modo severo, freddo, distaccato... Non avevo mai visto una persona più artificialmente tranquilla, sicura di sé e prepotente di lui.

Non dimenticherò mai le prime settimane passate alla dacia. Il tempo era meraviglioso; uscimmo dalla

[1] *Neskučnyj*: parco, giardino che si trovava alla periferia di Mosca.

città il nove maggio, proprio nel giorno di San Nicola.
Io passeggiavo, ora nel giardino della nostra dacia, ora
nel parco Neskučnyj, ora oltre la barriera. Prendevo
con me un qualche libro, per esempio il corso di Kajdanov,[2] ma raramente lo sfogliavo, e più che altro de-
clamavo dei versi che conoscevo molto bene a memoria; il sangue scorreva in me, il cuore mi doleva persino, sentivo dolcezza, il che era anche ridicolo. Aspettavo sempre, avevo timore di non so che e mi stupivo di
tutto ed ero pronto a tutto; la fantasia giocava e correva rapida intorno alle stesse immagini, come all'alba i
rondoni intorno a un campanile; ero immerso in meditazioni, ero triste, e piangevo persino; ma anche attraverso le lacrime e la tristezza, ispiratemi da un verso
melodioso o dalla bellezza della sera, spuntava come
erbetta primaverile un sentimento gioioso della mia vita giovane, ribollente.

Possedevo un cavallo da sella e io stesso lo sellavo e
me ne andavo solo, un po' più lontano, mi lanciavo al
galoppo e mi immaginavo di essere un cavaliere al tor-
neo: come era piacevole il vento che soffiava nelle
orecchie! Oppure, con la faccia rivolta al cielo, acco-
glievo la sua luce risplendente e l'azzurro nella mia
anima aperta.

Ricordo che allora l'immagine di una donna, o il
fantasma di un amore femminile quasi mai sorgeva
con tratti definiti nella mia mente; ma in tutto ciò che
pensavo, che sentivo, si nascondeva il presentimento
semiconscio, pieno di vergogna, di qualcosa di nuovo,
di indicibilmente dolce, di femminile...

Questo presentimento, questa attesa compenetrava
tutto il mio essere: io lo respiravo, esso scorreva nelle
mie vene, in ogni gocciola del sangue... E presto si sarebbe realizzato.

---

[2] *Kajdanov*: I.K. Kajdanov (1780-1843). Storico, autore di molti
manuali di storia per le scuole.

La nostra dacia consisteva di una casa signorile, di legno con le colonne, e due basse dipendenze; nella dipendenza di sinistra era sistemata una modesta fabbrica di tappezzerie a buon mercato... Più volte mi recavo là per guardare come una decina di ragazzetti magri, dai capelli arruffati, in vestaglie unte, con i volti smunti, saltavano continuamente su delle leve di legno, che schiacciavano i telai rettangolari di una pressa, e così, con il peso dei loro magri corpi stampavano i variopinti ornamenti. L'edificio di destra era rimasto vuoto e fu affittato. Un giorno, circa tre settimane dopo il nove maggio, le imposte di questa dipendenza si aprirono, apparvero dei volti femminili, vi si era sistemata una famiglia. Ricordo che quel giorno a pranzo la mamma si informò dal maggiordomo su chi fossero i nostri nuovi vicini, e udito il nome della principessa Zasekina, dapprima disse non senza un certo rispetto, e poi aggiunse: «Certamente, una povera».

– I signori sono arrivati con tre vetture a nolo, – notò il maggiordomo nel servire un piatto, – non hanno una loro carrozza, e di mobili non ne hanno.

– Sì, – replicò mia madre, – e così è meglio.

Mio padre la guardò in silenzio: ella tacque.

In effetti la principessa Zasekina non poteva essere una donna ricca: la dipendenza da lei presa in affitto era così decrepita, e piccola, e bassa, che la gente, appena appena un po' benestante, non avrebbe accettato di viverci. Del resto, allora tutto questo mi uscì subito dalle orecchie. Il titolo principesco agiva poco su di me: avevo da poco letto *I masnadieri*[3] di Schiller.

---

[3] *I masnadieri*: dramma di Schiller, scritto nel 1781, in cui si esprime anche la protesta antifeudale. Assai popolare nella Russia degli anni '30 del XIX secolo, e particolarmente amato dalla gioventù.

Avevo l'abitudine di girare ogni sera con il fucile nel nostro giardino e di far la guardia alle cornacchie. Provavo un vero odio, da tempo, per questi uccelli guardinghi, rapaci e furbi. Il giorno, in cui ha inizio questo discorso, pure mi recai in giardino e dopo aver camminato inutilmente per tutti i viali (le cornacchie mi riconobbero e solo di lontano gracchiarono, in modo discontinuo), mi avvicinai per caso a una bassa palizzata, che separava i nostri possedimenti dalla stretta striscia di giardino, che si stendeva oltre la dipendenza di destra e a questa apparteneva. Camminavo con la testa china. A un tratto sentii delle voci: guardai oltre la palizzata... e rimasi di sasso... Mi si presentava uno strano spettacolo.

Ad alcuni passi da me, sulla radura fra i cespugli di lampone, verdi, stava una fanciulla, alta, elegante, con un abito rosa a strisce, e un foulard bianco sulla testa; intorno a lei stavano quattro giovanotti, e lei, a turno, li colpiva sulla fronte con quei fiorellini, grigi, piccoli, di cui non ricordo il nome, ma che i ragazzi conoscono bene: questi fiori formano dei piccoli sacchetti e scoppiano facendo rumore, quando te ne servi per colpire qualcosa di duro. I giovani presentavano così volentieri le loro fronti, e nei movimenti della ragazza (la vedevo di fianco) c'era qualcosa di così affascinante, imperioso, carezzevole, canzonatorio e dolce, che io per poco non gridai per lo stupore e la gioia, e, si capisce, avrei dato tutto al mondo perché quei ditini incantevoli colpissero anche me sulla fronte. Il mio fucile scivolò sull'erba, dimenticai tutto, divorai con lo sguardo quel corpo snello, e il collo, e le belle mani, e i capelli biondi un po' scompigliati sotto il foulard bianco, e quell'occhio intelligente un po' socchiuso, e quelle ciglia, e la tenera guancia sotto di esse...

– Giovanotto, ehi, giovanotto, – esclamò a un tratto accanto a me una voce, – è forse permesso guardare così le signorine sconosciute?

Sussultai tutto, sbigottito... Vicino a me, dietro la palizzata, c'era un uomo, con i capelli neri tagliati corti, che mi guardava ironicamente. In quello stesso momento anche la ragazza si voltò verso di me... Io vidi degli enormi occhi grigi, un volto mobile, animato, e tutto questo volto a un tratto tremò, si mise a ridere, bianchi denti scintillarono, le sopracciglia in qualche modo divertente si sollevarono... Io avvampai, afferrai da terra il mio fucile e, inseguito da un riso risonante ma non cattivo, corsi nella mia camera, mi buttai sul letto, e mi coprii la faccia con le mani. Il mio cuore mi saltava; provavo vergogna e gioia: provavo un'agitazione mai provata.

Dopo aver riposato un po', mi pettinai, mi ripulii, e scesi per il tè. L'immagine della giovane fanciulla era dentro di me, il cuore non saltava più, ma in qualche modo si era stretto piacevolmente.

– Che ti succede? – mi chiese all'improvviso mio padre, – hai ucciso una cornacchia?

Avrei anche voluto raccontargli tutto, ma mi trattenni: sorridevo solo fra me e me. Andai poi a dormire, e, non so neppure io perché, feci tre volte un giro su un piede solo, mi misi la brillantina, mi coricai e dormii tutta la notte come un morto. Prima del mattino mi svegliai un momento, alzai la testa, mi guardai intorno con entusiasmo, e poi mi riaddormentai.

«Come fare la loro conoscenza?» fu il mio primo pensiero, al mattino, quando mi svegliai. Prima del tè andai in giardino, ma non mi avvicinai troppo alla palizzata e non vidi nessuno. Dopo il tè percorsi alcune volte la strada davanti alla dacia, e di lontano diedi uno sguardo alle finestre... Mi sembrò di vedere dietro la tendina il suo volto e mi allontanai subito, spaventato. «Tuttavia bisogna far conoscenza, – e camminando in modo disordinato sulla piana sabbiosa che si stendeva davanti al Neskučnyj, pensavo: – in che modo? Ecco il problema.» Ricordavo i più piccoli particolari dell'incontro di ieri: avevo in mente, per qualche motivo, in modo particolarmente chiaro, come lei aveva riso di me. Ma, mentre mi agitavo e costruivo i piani più diversi, il destino aveva già deciso per me.

In mia assenza la mamma ricevette dalla sua nuova vicina una lettera su carta grigia, chiusa con ceralacca bruna, quale si usa di solito nei messaggi postali oppure sui turaccioli di vino a buon mercato. In questa lettera, scritta con un linguaggio incolto e con una calligrafia spiacevole, la principessa chiedeva alla mamma di darle protezione: mia madre, secondo le parole della principessa, era molto conosciuta da persone ragguardevoli, dalle quali dipendeva il suo destino e il destino dei suoi figli, perché erano in corso per lei processi molto importanti. «Mi rivolgo a voi, – scriveva, – come signora nobile a una signora nobile, e inoltre mi è piacevole approfittare di questo caso.» Alla fine, chiedeva a mia madre il permesso di andarla a trovare. Trovai mia madre in una spiacevole disposizione d'animo: mio padre non c'era e lei non sapeva con chi consigliarsi. Non rispondere a «una nobile dama», per di più principessa, era impossibile, ma su come rispondere la mamma era perplessa. Scriverle un biglietto in francese non le sembrava opportuno, e in questo a ortografia russa anche mia mamma non era troppo forte, lo sapeva e non voleva compromettersi. Si rallegrò del mio arrivo e subito mi ordinò di andare dalla principessa e di spiegarle a voce che lei era sempre pronta a manifestare a sua eccellenza, secondo le sue forze, i propri servizi e la invitava a venire al tè, dopo l'una. L'improvvisa realizzazione, improvvisa e rapida, dei miei segreti desideri, mi rallegrò e mi spaventò; tuttavia non manifestai il turbamento che mi aveva preso, e dapprima mi diressi in camera mia, per indossare una cravatta nuova e una leggera finanziera: in casa stavo ancora con la giubba e il colletto risvoltato, anche se questo mi era pesante.

IV

Nell'anticamera stretta e poco pulita della dipendenza, dove entrai con involontario tremore in tutto il corpo, mi ricevette un vecchio servitore canuto, con il volto scuro, color del rame, con gli occhietti cupi, plumbei, e con delle rughe così profonde sulla fronte e alle tempie, quali non ne avevo mai viste. Egli portava su un piatto la spina rosicchiata di un'aringa e, ponendo il piede sulla porta che dava in un'altra stanza, disse, parlando a scatti:

– Che volete?

– È a casa la principessa Zasekina?

– Vonifatij! – gridò da dietro la porta una voce femminile tremolante.

Il servitore mi voltò la schiena, mostrando il dietro assai liso della sua livrea, con un unico bottone nobiliare, arrugginito, e uscì, lasciando il piatto sul pavimento.

– Sei andato nell'appartamento? – ripeté la stessa voce femminile. Il servo borbottò qualcosa. – È venuto qualcuno? – si sentì di nuovo. – Il signorino dei vicini? Fallo accomodare.

– Prego, nel salotto, – disse il servo, apparendo di nuovo davanti a me e sollevando il piatto dal suolo.

Io mi raddrizzai ed entrai nel «salotto».

Mi trovai in una stanza piccola e non del tutto pulita, con della mobilia che pareva racimolata in fretta.[4]

***

[4] *in fretta*: una delle situazioni del racconto è il contrasto tra la povertà e la sciatteria dell'ambiente e il titolo di «principessa» della ma-

Presso la finestra, su una poltrona con il bracciolo stac-
cato, stava seduta una donna di una cinquantina d'anni, a capo scoperto, e non bella, in un vecchio abito verde, con un fisciù di lana variopinta intorno al collo. I
suoi piccoli occhietti neri si fissarono su di me.

Io mi avvicinai a lei e mi inchinai.

– Ho l'onore di parlare con la principessa Zasekina?

– Io sono la principessa Zasekina. E voi siete il figlio
del signor V.?

– Proprio così. Sono venuto per incarico di mia madre.

– Sedetevi, per favore. Vonifatij, dove sono le mie
chiavi, non le hai viste?

Comunicai alla signora Zasekina la risposta di mia
madre al suo biglietto. Lei mi ascoltò, picchiettando
con le sue dita grosse e rosse sul davanzale della finestra, e quando io finii ancora una volta mi osservò.

– Molto bene. Verrò immancabilmente, – disse alla
fine. – E voi come siete giovane! Quanti anni avete, se
è lecito chiederlo?

– Sedici, – risposi con una involontaria esitazione.

La principessa trasse di tasca delle carte, scritte, unte, le avvicinò al naso e cominciò a scorrerle.

– Anni buoni, – pronunciò all'improvviso, rivoltan-
dosi e agitandosi sulla sedia. – E voi non fate cerimonie, da me è tutto semplice.

«Troppo semplice» pensai, osservando con involontaria ripugnanza tutta la sua figura non piacevole.

In questo momento un'altra porta del salotto si aprì
rapidamente e sulla soglia apparve la ragazza che io
avevo visto in giardino la sera precedente. Ella alzò la
mano e sul suo volto comparve un sorriso di derisione.

– Ed ecco mia figlia, – disse la principessa, indican-
dola con il gomito. – Zinočka, questo è il figlio del no-

dre di Zinaida. La donna era di umili origini e aveva ricevuto il titolo
in seguito al matrimonio con un autentico principe finito in malora.

stro vicino, il signor V. Come vi chiamate, se è lecito
chiederlo?

– Vladimir, – risposi io, alzandomi e balbettando per
l'emozione.

– E il patronimico?

– Petrovič.

– Conosco un capo della polizia che si chiama pure
Vladimir Petrovič. Vonifatij! Non cercare le chiavi, le
ho in tasca.

La giovane donna continuava a guardarmi con il
sorriso di prima, chiudendo un po' gli occhi e chinando
di fianco la testa.

– Io ho già visto monsieur Vol'demar, – cominciò (il
suono argentino della sua voce mi penetrò come un
dolce freddo). – Permettete che vi chiami così?

– Ma certo, vi prego, – balbettai.

– E questo dov'è? – chiese la madre.

La principessina non le rispose.

– Siete occupato ora? – disse, senza togliermi gli occhi di dosso.

– In nessun modo.

– Volete aiutarmi a sgrovigliare la lana? Venite qua,
da me.

Fece un cenno con la testa e uscì dal salotto. Io la seguii.

Nella stanza dove entrammo il mobilio era un po'
meglio e disposto con maggior gusto. Del resto in quel
momento io non potevo notare quasi niente: mi muo-
vevo come in sogno e sentivo in tutto il mio essere una
sensazione beata, tesa fino alla stupidità.

La principessina si sedette, tirò fuori una matassa di
lana rossa e, indicandomi una sedia di fronte a lei,
slegò la matassa con cura e me la mise tra le mani. Tutto questo la fanciulla lo fece in silenzio, con una certa
lentezza divertita, e con lo stesso sorriso luminoso e
furbo sulle labbra socchiuse. Ella cominciò ad aggo-

mitolare la lana intorno a un pezzo di carta piegato e a un tratto mi illuminò con uno sguardo così chiaro e rapido che io involontariamente abbassai gli occhi. Quando i suoi occhi, che erano per lo più socchiusi, si aprirono in tutta la loro grandezza, il suo volto mutò completamente: come se una luce si fosse versata in esso.

– Che cosa avete pensato di me, ieri sera, monsieur Vol'demar? – mi chiese, dopo un po'. – Certamente mi avete giudicata.

– Io... principessina... non ho pensato nulla... come posso... – risposi, turbato.

– Sentite, – ribatté lei. – Voi ancora non mi conoscete: sono molto strana; voglio che mi dicano sempre la verità. Avete, ho sentito, sedici anni, e io ne ho ventuno. Vedete, sono molto più vecchia di voi, per questo mi dovete sempre dire la verità, – aggiunse. – Guardatemi, perché non mi guardate?

Io mi turbai ancora di più, tuttavia alzai lo sguardo su di lei. Ella sorrise, solo non più con il sorriso di prima, ma con un altro sorriso, di approvazione.

– Guardatemi, – continuò, abbassando carezzevolmente la voce, – questo non mi è spiacevole... Il vostro volto mi piace; sento che diverremo amici. E io vi piaccio? – aggiunse lei furbescamente.

– Principessina, – stavo per cominciare.

– In primo luogo chiamatemi Zinaida Aleksandrovna, in secondo luogo che cos'è questa abitudine dei bambini (si corresse) dei giovani, di non dire apertamente quello che essi provano? Questo va bene per gli adulti. E allora vi piaccio?

Benché mi fosse piacevole che ella parlasse così apertamente con me, tuttavia mi offesi un poco. Volevo dimostrarle che non aveva a che fare con un bambino e, assunto un aspetto, entro il possibile, sciolto e serio, dissi:

– Certo, voi mi piacete molto, Zinaida Aleksandrovna. Non voglio nasconderlo.

Ella scosse piano la testa.

– Avete un istitutore?

– No, non ce l'ho da molto tempo.

Mentivo: non era passato neanche un mese da quando avevo lasciato il mio francese.

– Vedo: siete proprio adulto.

Mi colpì lievemente le dita.

– Tenete diritte le mani! – ed essa si mise ad avvolgere accuratamente il gomitolo.

Approfittai del fatto che essa non alzava gli occhi per guardarla, dapprima furtivamente, poi in modo sempre più ardito. Il suo volto mi parve ancora più affascinante che il giorno prima: tutto in lei era così fine, intelligente e grazioso. Ella stava seduta con la schiena alla finestra, riparata da una tenda; un raggio di sole, attraversando questa tenda, bagnava di una luce molle i suoi soffici capelli dorati, il suo collo innocente, le sue spalle rotonde e il petto tenero, tranquillo. La guardavo, e come cara, come vicina a me, diventava! Mi pareva di conoscerla da tanto tempo e che prima di conoscerla non sapevo nulla e non ero vissuto... Indossava un abito un po' scuro, non nuovo, con un davantino; io, mi pareva, avrei accarezzato volentieri ogni piega di questo abito e del davantino. Le punte delle sue scarpette spuntavano dall'abito: con adorazione mi chinai verso queste scarpette... «Ecco, io siedo davanti a lei – pensavo – ho fatto la sua conoscenza... quale felicità, Dio mio!» Per poco non saltai dalla seggiola per l'entusiasmo, ma mi limitai ad agitare un po' le gambe, come un bambino che mangia qualcosa di molto saporito.

Stavo bene, come un pesce nell'acqua, non sarei mai voluto andar via da quella stanza, non avrei lasciato quel luogo.

Le sue palpebre si sollevarono, e di nuovo scintillarono carezzevolmente davanti a me i suoi occhi, e di
nuovo sorrise:

– Come mi guardate, – disse lentamente e mi minacciò con il dito.

Arrossii... «Ella capisce, vede tutto – mi passò per la
mente. – E come potrebbe non vedere e non capire!»

A un tratto qualcosa fece rumore nella stanza vicina, risuonò una sciabola.

– Zina! – gridò nel salotto la principessa, – Belovzorov ti ha portato un gattino.

– Un gattino! – esclamò Zinaida e si alzò in fretta
dalla sedia, mi gettò il gomitolo sulle ginocchia e corse
fuori.

Anch'io mi alzai e, dopo aver messo la matassa e il
gomitolo sul davanzale, andai nel salotto e mi fermai,
perplesso. In mezzo alla stanza giaceva un gattino ti-
grato, con le zampette distese; Zinaida stava davanti a
lui, in ginocchio, e con cautela gli sollevava il musetto.
Vicino alla principessa, occupando quasi tutto lo spa-
zio tra le finestre, si vedeva un giovane biondo e riccioluto, un ussaro con il volto rubizzo e gli occhi spor-
genti.

– Com'è buffo! – affermava Zinaida, – e i suoi occhi
non sono grigi, ma verdi, e che grandi orecchie ha. Grazie, Viktor Egoryč, siete molto caro.

L'ussaro, nel quale riconobbi uno dei giovanotti che
avevo visto il giorno precedente, sorrise e s'inchinò, facendo tintinnare gli speroni e risuonare gli anelli della
sciabola.

– Ieri vi siete compiaciuta di dire che desideravate
avere un gattino con le strisce e grandi orecchie... ed
eccolo, sono riuscito a procurarvelo. La vostra parola è
legge. – E di nuovo s'inchinò.

Il gattino pigolò debolmente e cominciò a fiutare il
pavimento.

– Ha fame! – gridò Zinaida. – Vonifatij! Sonja! Portate del latte.

La cameriera, in un vecchio vestito giallo, con un fazzoletto stinto in testa, entrò con un piattino di latte in mano e lo pose vicino al gatto. Il gattino si scosse, socchiuse gli occhi, e si mise a leccare.

– Che linguettina rosa! – osservò Zinaida, chinando la testa fin quasi al pavimento e osservando il micio, quasi sotto il suo naso.

Il gattino si era saziato e si mise a fare le fusa, muovendo con moine le zampette. Zinaida si alzò e, rivolta alla cameriera, disse in tono indifferente:

– Portalo via.

– Per il gattino, la manina! – disse l'ussaro, sorridendo e muovendosi con il suo potente corpo, tutto stretto nella divisa nuova.

– Tutte e due, – rispose Zinaida, e gli tese le mani.

Mentre egli le baciava, lei mi guardò, di sopra la spalla.

Io stavo immobile allo stesso posto e non sapevo, se dovevo ridere, dire qualcosa, oppure stare zitto, così. A un tratto, attraverso la porta aperta dell'anticamera, comparve la figura del nostro lacché Fjodor. Mi faceva dei segni.

Macchinalmente andai da lui.

– Che vuoi? – gli chiesi.

– La mamma ha mandato a chiamarvi, – disse sussurrando. – Si è irritata, perché non siete tornato indietro con la risposta.

– Ma davvero sono qui da molto tempo?

– Più di un'ora.

– Più di un'ora! – ripetei involontariamente, e tornato in salotto, cominciai a salutare e a strisciare i piedi.

– Dove andate? – mi chiese la principessina, da dietro l'ussaro.

– Mi chiedono a casa. Così io dirò, – aggiunsi, rivolto alla vecchia, – che voi verrete dopo l'una.

– Dite così, batjuška.[5]

La principessa prese in fretta la tabacchiera e fiutò così rumorosamente che io persino sussultai.

– Dite così, – ripeté, facendo smorfie lacrimose e ansimando.

Mi inchinai ancora, mi voltai e uscii dalla stanza, con quella sensazione di disagio nella schiena che prova un giovane, quando sa che, dietro, lo guardano.

– Sentite, monsieur Vol'demar, venite da noi, – gridò Zinaida, e di nuovo si mise a ridere.

«Ma perché ride sempre?» pensai, ritornando a casa, accompagnato da Fjodor, che non mi diceva niente, ma si muoveva con me, disapprovandomi. La mamma mi sgridò e si stupì: come avevo potuto stare tanto tempo dalla principessa? Non le risposi nulla e mi ritirai nella mia stanza. A un tratto provai una grande tristezza... Mi sforzai di non piangere... Ero geloso dell'ussaro.

[5] *batjuška*: propriamente «paparino». Titolo di rispetto.

V

La principessa, secondo l'impegno, visitò mia madre, e non le piacque. Non fui presente al loro incontro ma, a tavola, la mamma raccontò a mio padre che quella principessa Zasekina le era sembrata *une femme très vulgaire*, che l'aveva annoiata molto con le sue richieste di intercedere per lei presso il principe Sergej, che aveva delle cause in corso e delle faccende, *des vilaines affaires d'argent*, e che doveva essere una grande intrigante. La mamma, però, aggiunse di averla invitata con la figlia, l'indomani, a pranzo (nel sentire la parola «figlia» io ficcai il naso nel piatto), perché, d'altra parte, era una vicina, e con un nome. A questo mio padre aggiunse che ora ricordava chi fosse quella signora; che in gioventù aveva conosciuto il defunto principe Zasekin, un uomo molto ben educato, ma vuoto e insulso; che in società lo conoscevano come *le Parisien*, per il fatto che aveva abitato a lungo a Parigi; che era stato molto ricco, ma si era giocato le sue sostanze, e non si sa perché, difficilmente per i soldi, avrebbe potuto scegliere di meglio, – aggiunse mio padre, con un sorriso freddo – sposò la figlia di un commesso; dopo il matrimonio si abbandonò alle speculazioni e andò definitivamente in rovina.

– Spero che non mi chieda soldi in prestito – osservò mia madre.

– Questo è possibile – disse tranquillamente mio padre. – Sa parlare francese?

– Molto male.

– Del resto, è lo stesso. Mi hai detto che hai invitato anche la figlia; mi è stato assicurato che è una ragazza molto cara e colta.

– Vuol dire che è diversa dalla madre.

– E anche dal padre – obiettò mio padre. – Costui era pure una persona colta, ma stupida.

La mamma sospirò e si mise a pensare. Mio padre stette zitto. Mi sentii molto a disagio durante questa conversazione.

Dopo il pranzo andai nel giardino, ma senza il fucile. Mi ero data la parola di non avvicinarmi al «giardino delle Zasekin», ma una forza irresistibile mi trascinò là, e non inutilmente. Non ero riuscito ad avvicinarmi alla palizzata che vidi Zinaida. Questa volta era sola. Teneva in mano un libriccino e camminava lentamente per il vialetto.

Quasi me la lasciai sfuggire, ma a un tratto me ne accorsi e tossicchiai.

Zinaida si voltò, ma non si fermò, sistemò con la mano un grande nastro azzurro che portava sul suo cappello rotondo di paglia, mi guardò, sorrise piano e di nuovo immerse lo sguardo nel libriccino.

Io mi tolsi il berretto e, indugiando un po' sul posto, proseguii con il cuore pesante. «*Que suis-je pour elle?*» pensai fra me e me (lo sa Dio perché) in francese.

Dei noti passi echeggiarono dietro a me: mi voltai, verso di me, con il suo passo rapido e leggero, veniva mio padre.

– È la principessina? – mi chiese.

– Sì.

– La conosci?

– L'ho veduta questa mattina dalla principessa.

Mio padre si fermò e, con una rapida giravolta sui tacchi, tornò indietro. Nel passare vicino a Zinaida, le fece un inchino gentile. Anche lei si inchinò, non senza un certo stupore nel volto, e lasciò cadere un libro. Osservai come ella lo accompagnasse con lo sguardo. Mio padre si vestiva sempre in modo elegante, originale e semplice; ma mai la sua persona mi era sembrata più elegante, mai il suo cappello grigio calzava così bene sui suoi capelli appena un po' diradati.

Stavo per andare verso Zinaida, mai la ragazza non mi guardò nemmeno, riprese il libro e si allontanò.

VI

Tutta la sera e il mattino dopo li passai in una specie di muto stupore. Ricordo che tentai di lavorare e presi il libro di Kajdanov, ma inutilmente mi passavano davanti agli occhi le righe ben spaziate e le pagine del celebre manuale. Lessi una decina di volte, una dopo l'altra, le parole: «Giulio Cesare si distingueva per ardire guerresco», senza capirle, e così abbandonai il libro. Prima di pranzo mi misi di nuovo la brillantina e indossai ancora il soprabito e la cravatta.

– Perché? – mi chiese la mamma. – Non sei ancora uno studente e Dio sa se supererai l'esame. Non ti hanno fatto da poco una giubba? Non vorrai buttarla?

– Ci saranno ospiti? – borbottai quasi con disperazione.

– Che sciocchezze. Quali ospiti?

Bisognava obbedire. Sostituii il soprabito con la giacca, ma non mi tolsi la cravatta. La principessa con la figlia comparvero mezz'ora prima di pranzo. La vecchia, sopra il vecchio vestito verde, che ben conoscevo, si era messa uno scialle giallo e aveva indossato pure una cuffia, passata di moda, con nastri di colore di fuoco. Si mise subito a parlare delle sue cambiali, sospirava, si lamentava della sua povertà, parlava in modo noioso, senza trattenersi: così continuava a fiutare rumorosamente il tabacco, si girava continuamente e si muoveva sulla seggiola. Non le passava neanche per la mente che era una principessa. Invece Zinaida si comportava in modo molto severo, quasi altezzoso, da vera principessa. Nel suo volto esprimeva una immobilità fredda e solennità, e io non la riconobbi, non riconobbi i suoi sguardi, i suoi sorrisi, benché anche in questa sua nuova espressione mi sembrasse bellissima. Indossava un vestito leggero, di lanetta di Barèges[6] con ricami azzurri pallidi; i capelli le cadevano in lunghi boccoli lungo le guance, alla moda inglese: questa acconciatura si addiceva alla fredda espressione del suo volto. Mio padre stava seduto vicino a lei durante il pranzo e con l'eleganza che gli era propria e con la sua tranquilla cortesia intratteneva la vicina. Di rado la guardava, e lei di rado guardava lui, e in modo strano, quasi ostile. La loro conversazione si svolgeva in francese; mi stupiva, ricordo, la purezza della pronuncia di Zinaida. La principessa, durante il pranzo, come al solito, non si trattenne per niente: mangiò molto e lodò la cucina. Alla mamma era visibilmente di peso e le rispondeva con non so quale triste noncuranza; mio padre raramente muoveva appena le sopracciglia. Neppure Zinaida piacque alla mamma.

– Ma che razza di spocchiosa, – disse il giorno dopo. – Pensa un po' di che cosa può inorgoglirsi, *avec sa mine de grisette*![7]

– Tu, certo, le *grisettes* non le hai mai viste, – osservò mio padre.

– Grazie a Dio!

– Certo, grazie a Dio... e allora come puoi giudicare di loro?

Zinaida non aveva rivolto a me proprio nessuna at-

---

[6] *lanetta di Barèges*: in russo «baréževoe plat'e», abito di Barèges. Dal nome di un paese francese. Era un tipo di lana leggera.

[7] *mine de grisette*: aspetto di «grisette». La mamma di Volodja giudica con disprezzo anche Zinaida e la definisce con la parola «grisette», parola assai di moda, passata dal francese al russo («grizetka»), per indicare giovani donne di basso ceto e di non difficili costumi.

tenzione. Subito dopo il pranzo la principessa cominciò a salutare.

– Spero davvero nella vostra protezione, Mar'ja Nikolaevna e Pjotr Vasil'evič, – disse cantilenando alla mamma e a mio padre. – Che fare? Ci sono stati dei bei tempi, e sono finiti. Eccomi qua, io, che sono eccellenza, – aggiunse con un riso spiacevole, – ma che ne faccio dell'onore, se non ho nulla?

Mio padre fece un inchino rispettoso e l'accompagnò fino in anticamera. Io me ne rimasi là nella mia corta giubba e guardavo il pavimento, come un condannato a morte. Il modo, come Zinaida si era rivolta a me, mi aveva definitivamente stremato. E quale non fu la mia sorpresa quando, passandomi vicino, ella parlando in fretta e con l'espressione carezzevole degli occhi, quella di ieri, mi sussurrò:

– Venite a trovarmi alle otto, sentite, assolutamente...

Io allargai solo le braccia, ma lei si allontanò, sistemando sulla testa la sciarpa bianca.

VII

Proprio alle otto, io, indossando la finanziera, con il ciuffo alzato sulla testa, entrai nell'anticamera della dipendenza, dove stava la principessa. Il vecchio servo mi guardò cupamente e si alzò di malavoglia dalla panca. Nel salotto si sentivano delle voci allegre. Aprii la porta e fui preso da stupore. In mezzo alla stanza, su una seggiola, stava in piedi la principessina e teneva davanti a sé un berretto maschile; cinque giovanotti si affollavano intorno alla seggiola. Cercavano di prendere il berretto ma lei lo alzava e lo scuoteva forte. Quando mi vide gridò:

– Un momento, un momento, c'è un nuovo ospite, bisogna dare anche a lui un biglietto, – saltò giù sveltamente dalla seggiola, e mi prese per il paramano della finanziera. – Venite, perché state lì fermo? Messieurs, permettete di presentarvelo: è monsieur Vol'demar, figlio del nostro vicino. E questi, – aggiunse, rivolgendosi a me e presentandomi a turno gli ospiti, – sono il conte Malevskij, il dottor Lušin, il poeta Majdanov, il capitano in congedo Nirmackij, e Belovzorov, l'ussaro, che voi già conoscete. Amatevi e congratulatevi.

Io mi ero così confuso che non riuscii a inchinarmi a nessuno; nel dottor Lušin riconobbi quello stesso signore bruno che, in modo così spietato mi aveva svergognato in giardino. Gli altri mi erano sconosciuti.

– Conte! – continuò Zinaida, – scrivete il biglietto per monsieur Vol'demar.

– Non è giusto, – obiettò il conte, con un lieve accento polacco; il conte era un brunetto molto bello ed elegantemente vestito, con degli espressivi occhi marrone, il nasetto bianco e stretto, e dei baffetti sottili sulla bocca minuscola. – Non ha fatto con noi il gioco dei pegni.

– Non è giusto – ripeterono Belovzorov e il signore che era stato definito capitano in congedo, un uomo di circa quarant'anni, butterato in modo persino disgustoso, riccioluto come un arabo, un po' curvo, dalle gambe storte e vestito con una finanziera militare senza spalline, e sbottonata.

– Scrivete il biglietto, vi si dice – ripeté la principessina. – Cos'è? Una rivolta? Il signor Vol'demar non è la prima volta che viene da noi, e oggi la legge per lui non è scritta. Non c'è nulla da brontolare. Scrivete: voglio così.

Il conte alzò le spalle, ma chinò obbediente la testa, prese la penna con la mano bianca, adorna di anelli, strappò un pezzetto di carta e si mise a scrivere.

– Permettetemi almeno di spiegare al signor Vol'demar in che cosa consiste il gioco, – cominciò Lušin con voce di scherno, – altrimenti lui si smarrirà del tutto. Vedete, giovanotto, noi giochiamo ai pegni; la principessina ha imposto una multa e colui, il cui felice biglietto uscirà, avrà l'onore di baciarle la manina. Avete capito quello che ho detto?

Io gli gettai solo uno sguardo e continuavo a stare come, stordito, mentre la principessa salì di nuovo sulla seggiola e di nuovo si mise ad agitare il berretto. Tutti si tesero verso di lei, e io anche.

– Majdanov, – disse la principessina al giovane dal volto magro, dagli occhietti piccoli, ciechi, e dai capelli troppo lunghi, – voi, come poeta dovete essere magnanimo e cedere il vostro biglietto a monsieur Vol'demar, in modo che lui abbia due possibilità invece di una.

Ma Majdanov scosse negativamente la testa e agitò i capelli. Io dopo tutti ficcai la mano nel berretto, presi e aprii un biglietto... Dio mio! che cosa non provai quando vidi scritta la parola: bacio!

– Bacio! – gridai, involontariamente.

– Bravo! Ha vinto! – confermò la principessina. – Come sono felice! – Scese dalla seggiola e mi guardò negli occhi in modo così chiaro e dolce che il cuore mi batté. – Siete felice? – mi chiese.

– Io?... – dissi, balbettando.

– Datemi il vostro biglietto, – sbraitò a un tratto proprio nella mia orecchia Belovzorov. – Vi darò cento rubli.

Risposi all'ussaro con uno sguardo così indignato che Zinaida batté le mani, e Lušin esclamò: «Bravo!».

– Ma io, – continuò – come maestro delle cerimonie, sono tenuto a far osservare tutte le regole. Il signor Vol'demar deve inginocchiarsi su un ginocchio. Così abbiamo stabilito.

Zinaida stava davanti a me, con la testa un po' chinata di fianco, come per guardarmi meglio, e con solennità mi tese la mano. Mi si oscurarono gli occhi, avrei voluto inginocchiarmi su un solo ginocchio, invece caddi su tutti e due e sfiorai con le labbra così goffamente le dita di Zinaida che mi graffiai un po' il naso con la sua unghia.

– Bene! – gridò Lušin, e mi aiutò ad alzarmi.

Il gioco ai pegni continuò. Zinaida mi fece sedere accanto a sé. Quali multe non inventò! Le venne in mente, fra l'altro, di rappresentare una «statua» e come piedistallo scelse il brutto Nirmackij, gli ordinò di coricarsi a faccia in giù e di affondare il viso nel petto. Le risate non cessarono un momento. Per me, che ero un ragazzo educato in solitudine e al contegno, che ero cresciuto in una casa signorile e ordinata, tutto questo rumore e fracasso, questa mancanza di cerimonie, questa allegria quasi sfrenata, questi rapporti insoliti con gente sconosciuta, mi andarono alla testa. Semplicemente mi ubriacai, come per il vino. Mi misi a ridacchiare e a ciarlare più forte degli altri tanto che persino la vecchia principessa, che se ne stava nella stanza vicina con non so quale scrivano della Porta Iberiana,[8] chiamato per consigli, si affacciò per osservarmi. Ma io mi sentivo a tal punto felice che, come si dice, non me ne curai per niente e non mi curai neppure degli scherni altrui e delle occhiate altrui. Zinaida continuò a offrirmi la sua protezione e non mi allontanò da sé. Durante una penitenza dovetti sedere accanto a lei, ricoperto dallo stesso fazzoletto di seta: dovevo rivelarle *il mio segreto*. Ricordo come le nostre due teste si trovarono in quel buio soffocante, mezzo trasparente, profumato, come, in quel buio risplendevano i suoi occhi e come ardentemente respiravano le sue labbra aperte, e si vedevano i denti, e le punte dei suoi capelli mi titillavano e mi bruciavano. Io stavo zitto e lei sorrideva misteriosamente e furbescamente e finalmente mi sussurrò: «E allora?», e io arrossii soltanto e mi misi a ridere, mi voltai, a mala pena respirando. Alfine le penitenze ci annoiarono e ci mettemmo a giocare alla «cordicella». Dio mio! Quale fu il mio entusiasmo quando, stando a bocca aperta, ricevetti da lei un colpo forte e duro sulle dita, e come poi cercai apposta di fingere di stare a bocca aperta, e lei mi rimproverò e non toccò più le mani che presentavo!

E che cosa non abbiamo fatto nel corso di quella sera! Abbiamo suonato al pianoforte, abbiamo cantato, ballato, e immaginato un campo tzigano. Nirmackij

---

[8] *Porta Iberiana*: dal nome della vergine Iberiana (Georgiana). Questa porta esisteva nel secolo XIX e si trovava tra il Museo Storico e il Museo Lenin (all'ingresso della Piazza Rossa). Nel passato, accanto a questa porta, stavano scrivani che, per compenso, stilavano suppliche, scrivevano lettere eccetera.

fu travestito da orso e abbeverato con acqua e sale. Il conte Malevskij ci mostrò diversi giochi di prestigio con le carte e, dopo averle rimescolate, riuscì, a whist, ad avere per sé tutte le briscole, con il che Lušin «ebbe l'onore di fargli i complimenti». Majdanov declamò dei brani del suo poema *L'assassino* (la vicenda si svolgeva proprio nel momento del massimo furore del romanticismo), poema che egli voleva pubblicare con una copertina nera e con le lettere del titolo color rosso sangue; dalle ginocchia dello scrivano della Porta della Vergine Iberiana gli rubarono, il berretto, e lo costrinsero, per riscattarlo, a danzare un po' il *kazačok*; al vecchio Vonifatij fecero indossare una cuffia, e la principessa dovette mettersi un cappello maschile... Non riuscirei a raccontarle tutte. Il solo Belovzorov per lo più se ne stava in un angolo, cupo in volto e arrabbiato... Talora i suoi occhi erano iniettati di sangue, arrossiva tutto, e pareva che da un momento all'altro volesse gettarsi su di noi per disperderci da tutte le parti, come schegge; ma la principessina lo guardava, lo minacciava con il dito, e lui di nuovo si isolava nel suo angolo.

Finalmente, non ne potemmo più. La principessa a tutto questo era, come ebbe a dire, del tutto avvezza, non la disturbavano grida di nessun genere, tuttavia si sentiva stanca e desiderava riposare. A mezzanotte servirono la cena, che consisteva in un pezzo di vecchio formaggio, secco, e in qualche pasticcio freddo, con del prosciutto tagliato a pezzi, cibi che mi parvero più gustosi del paté; di vino c'era una sola bottiglia, e anche questa piuttosto strana: scura, con il collo tondeggiante, e il vino prendeva un colore rosato, dentro la bottiglia. Del resto nessuno ne bevve. Stanco e felice fino alla sfinitezza, uscii dalla dipendenza; nel salutarmi Zinaida mi strinse fortemente la mano e sorrise, di nuovo enigmaticamente.

La notte mi soffiò pesantemente e ardentemente sul volto, l'umida notte; pareva che si stesse preparando un temporale; delle nubi nere crescevano e scivolavano in cielo, visibilmente mutando i loro contorni fumosi. Un venticello inquieto faceva rabbrividire gli alberi, e in qualche posto lontano, oltre l'orizzonte, come se parlasse fra sé, ruggiva sordo e irritato un tuono.

Dal pianerottolo posteriore raggiunsi la mia stanza. Il mio servitore dormiva sul pavimento, e dovetti scavalcarlo; egli si svegliò, mi vide e mi riferì che mia madre si era di nuovo arrabbiata con me e voleva di nuovo mandarmi a chiamare, ma mio padre la trattenne. (Io non ero mai andato a dormire senza aver salutato mia madre e senza aver avuto la sua benedizione.) Ma non c'era niente da fare!

Dissi al servo che mi sarei spogliato da solo e da solo mi sarei coricato, e spensi la candela. Ma non mi spogliai e non mi coricai.

Mi sedetti su una seggiola e rimasi lì come incantato. Quello che io provavo era così nuovo e così dolce... Me ne stavo seduto, appena guardandomi attorno, e senza muovermi, respirando lentamente e solo di tanto in tanto ridendo silenziosamente, nel ricordo, ora provando un freddo interiore all'idea che mi ero innamorato, e che lei, proprio lei, era l'amore. Il volto di Zinaida splendeva silenzioso davanti a me nel buio, risplendeva, e non svaniva; le sue labbra sorridevano sempre così misteriosamente, gli occhi mi guardavano un po' di fianco, in modo interrogativo, pensieroso e tenero... come nel momento in cui la lasciai. Finalmente mi alzai e in punta di piedi mi avvicinai al letto e cautamente, senza spogliarmi, appoggiai la testa al cuscino, come temendo di turbare, con un brusco movimento, tutto quello di cui ero colmo...

Mi coricai, ma non chiusi neppure gli occhi. Presto

notai che nella mia stanza entravano non so quali pallidi riflessi. Mi alzai e guardai dalla finestra. Lo stipite risaltava chiaramente dai vetri biancheggianti, misteriosi e opachi. «Il temporale» pensai, e c'era veramente il temporale, ma era molto lontano, così che i tuoni non si sentivano; solo che in cielo si accendevano ininterrottamente dei lampi scialbi, lunghi, come tutti ramificati; essi non tanto si accendevano, quanto crepitavano e si contraevano, come l'ala di un uccello morente. Mi alzai, mi avvicinai alla finestra, e rimasi là fino al mattino... I lampi non smisero neppure un momento; era quella che si chiamava, nel popolo, «la notte dei passeri». Guardavo il muto campo sabbioso, la mole oscura del giardino Neskučnyj, le facciate giallognole dei lontani edifici, che sembravano pure sussultare a ogni debole vampa... Guardavo, senza potermene staccare; questi lampi muti, questi scintillii trattenuti, mi pareva, rispondevano ai miei muti e segreti impeti, che divampavano pure in me. Il mattino cominciò a mostrarsi; l'aurora saliva con macchie purpuree. Con il sorgere del sole i lampi sempre più impallidivano e diminuivano: essi tremavano sempre più di rado e finalmente scomparvero, soffocati dalla luce che faceva rinsavire e che era certa e sicura, la luce del giorno che sorgeva...[9]

Anche in me scomparvero tutti i lampi. Provavo una grande stanchezza e pace... ma l'immagine di Zinaida continuò a esistere, a trionfare, nella mia anima. Solo che questa immagine ora sembrava placata: come un cigno che s'era involato dalle erbe della palude, essa si era staccata dalle altre figure, maligne,

---

[9] In questo brano, giustamente celebre per la sua bellezza, per la sua armonia, Turgenev sembra corrispondere a quel grande poeta dei temporali estivi, dei lampi e bagliori celesti, che fu Fjodor Tjutčev (1803-1873).

che la circondavano e io, addormentandomi, per l'ultima volta mi strinsi a lei in segno di saluto e con adorazione...

O miti sentimenti, morbidi suoni, bontà e calmo silenzio dell'anima turbata, gioia e tenerezza delle prime commozioni amorose, dove siete, dove siete?...

VIII

Il giorno dopo, quando scesi per il tè, mia madre mi rimproverò, meno, però, di quanto non pensassi, e mi costrinse a raccontare come avevo passato la sera precedente. Le risposi con poche parole, tralasciando molti particolari e cercando di conferire a tutta la serata l'aspetto più innocente.[10]

– Però quella gente non è *comme il faut*, – osservò la mamma, – e non c'è proprio bisogno che tu li frequenti, invece di prepararti all'esame e lavorare.

Ben sapendo che le preoccupazioni della mamma a proposito della mia preparazione si limitavano a tali poche parole, non ritenni necessario obiettare: ma dopo il tè mio padre mi prese per mano e, andando con me in giardino, mi costrinse a raccontargli tutto quello che avevo visto dalle Zasekin.

Mio padre aveva una strana influenza su di me, e strani erano i nostri rapporti. Quasi non si occupava della mia educazione, ma non mi offendeva mai; egli rispettava la mia libertà, era persino, se così si può dire, gentile con me... Solo che non mi permetteva di avvicinarmi a lui. Io lo amavo e lo ammiravo, egli mi sembrava il modello di un uomo, e, Dio mio, come mi

[10] La serata non era stata affatto innocente: non perché i giochi fossero usciti dai limiti, ma perché i desideri degli innamorati di Zinaida, compresi anche i desideri ardenti, anche se confusi, del nostro amabile Volodja, hanno assunto, grazie allo stile straordinario di un Turgenev suscitatore di atmosfere, una densità sensibile.

sarei appassionatamente attaccato a lui se non avessi sempre sentito la sua mano che mi allontanava! Per altro, quando voleva, sapeva quasi in un momento, con una sola parola, con un solo movimento risvegliare in me una fiducia illimitata in lui. La mia anima si apriva, chiacchieravo con lui come con un amico ragionevole, come con un precettore indulgente... Poi egli, in modo altrettanto rapido, mi abbandonava, e la sua anima di nuovo mi respingeva, tenera e dolce, ma mi respingeva.

C'era in lui talora una certa allegria e quando era pronto a giocare e scherzare con me come un ragazzo (gli piaceva ogni forte movimento del corpo) mi accarezzava con tale tenerezza, che io per poco non mi mettevo a piangere... Ma la sua allegria e tenerezza scomparivano senza traccia e quello che era avvenuto tra di noi non mi dava nessuna speranza per il futuro, come se tutto fosse stato un sogno. Succedeva che io mi mettessi a osservare il suo volto intelligente, bello, luminoso... il mio cuore tremava e tutto il mio essere era teso verso di lui... ed egli pareva sentisse quello che succedeva in me, di sfuggita mi dava un buffetto sulla guancia e o si allontanava o si occupava di qualcosa o diventava freddo, come solo lui sapeva fare, e io subito mi rinchiudevo in me, mi pareva di diventare freddo anch'io. I rari attacchi della sua buona disposizione verso di me non erano dovuti alle mie preghiere silenziose ma comprensibili: avvenivano in modo inatteso. Nel pensare in seguito al carattere di mio padre arrivai a questa conclusione: che non gli importava di me, né della vita di famiglia; egli amava qualche cosa d'altro e godeva pienamente di questo. «Prendi quello che puoi, e non darti nelle mani di nessuno; appartieni a te stesso: in questo è tutto il senso della vita», mi disse una volta. Un'altra volta io, in qualità di giovane democratico, mi lasciai andare a parlare, in sua presenza, della libertà (in quel giorno egli era, come io dicevo, «buono»: e allora si poteva parlare con lui di quel che si voleva).

– La libertà, – ripeté, – ma sai che cosa può dare la libertà all'uomo?

– Che cosa?

– La volontà, la propria volontà, ed essa darà il potere, che è meglio della libertà. Sappi volere, e sarai libero, e comanderai.

Mio padre, prima di ogni cosa voleva vivere, e viveva... Forse, presentiva che non gli era concesso di godere di quello «scherzo» che era la vita: morì difatti a quarantadue anni.

Raccontai accuratamente a mio padre della mia visita alle Zasekin. Egli, mezzo attento, mezzo distratto, mi ascoltava, seduto su una panca, e disegnando con la punta del frustino qualcosa sulla sabbia. Raramente si metteva a ridere, in un qualche modo luminoso e divertito mi guardava e mi stuzzicava con brevi domande e obiezioni. Dapprima io non mi decidevo a pronunciare il nome di Zinaida, ma non mi trattenni, e mi misi a esaltarla. Mio padre continuava a sorridere. Poi si mise a pensare, si tese e si alzò.

Ricordai che uscendo di casa, egli ordinò di sellargli il cavallo. Era un bravo cavallerizzo e sapeva, molto prima del signor Rery,[11] domare i cavalli più selvaggi.

– Vengo con te, papà? – gli chiesi.

– No, – rispose, e il suo volto assunse la solita espressione tenera e indifferente. – Va' da solo, se vuoi. E al cocchiere di' che io non andrò.

Mi volse le spalle e si allontanò rapidamente. Lo seguii con lo sguardo. Scomparve dietro il portone. Vedevo il suo cappello muoversi oltre la palizzata: andava dalle Zasekin.

---

[11] *Molto prima del signor Rery*: l'autore si riferisce a un addestratore di cavalli.

Rimase da loro non più di un'ora. Subito dopo si diresse in città e tornò a casa solo verso sera.

Dopo pranzo anch'io andai dalle Zasekin. Nel salotto trovai solo la vecchia contessa. Nel vedermi, si grattò la testa sotto la cuffia con un ferro da calza e a un tratto mi chiese se non potevo trascrivere per lei una richiesta.

– Con piacere, – risposi, e mi sedetti su un angolo della sedia.

– Solo, cercate di scrivere con i caratteri un po' grandi, – mi chiese, dandomi un foglio tutto imbrattato. – Potete farlo oggi, batjuška?

– Senz'altro.

La porta della stanza vicina si aprì appena e nell'apertura comparve il volto di Zinaida, pallido, assorto, con i capelli buttati indietro in modo trascurato: mi guardò con grandi occhi freddi e piano richiuse la porta.

– Zina, Zina! – disse la vecchia.

Zinaida non rispose. Io portai con me la supplica della vecchia e tutta la sera la ricopiai.

IX

Da quel giorno incominciò la mia «passione». Ricordo che allora provai qualcosa di simile a quello che prova una persona che inizia un servizio: smisi di essere semplicemente un giovane; ero innamorato. Ho detto che da quel giorno incominciò la mia passione; potrei anche aggiungere che sempre da quel giorno cominciarono le mie sofferenze. In assenza di Zinaida mi sentivo languire: non mi veniva in mente niente, tutto quello che tenevo in mano mi cadeva, tutto il giorno continuavo a pensare intensamente a lei... Languivo... ma anche in sua presenza non è che mi sentissi meglio. Ero geloso, riconoscevo la mia pochezza, stupidamente tenevo il broncio e stupidamente facevo il servile, e tuttavia una forza insuperabile mi trascinava verso di lei, e ogni volta con involontario tremore di felicità oltrepassavo la soglia della sua camera. Zinaida indovinò subito che ero innamorato di lei, e del resto io non tentavo neppure di nasconderlo; lei si divertiva della mia passione, mi prendeva in giro, mi viziava e mi tormentava. È dolce essere l'unica fonte, la causa indipendente e irresponsabile delle grandissime gioie e del profondo dolore di un altro, e io nelle mani di Zinaida ero come cera molle. Del resto, non ero l'unico a essere innamorato di lei: tutti gli uomini che visitavano la sua casa, impazzivano per lei, e lei li teneva tutti come avvinti ai suoi piedi.

La divertiva destare in essi ora speranze, ora paure,

farli girare secondo il suo capriccio (ciò che lei chiamava farli cozzare l'uno con l'altro), ed essi non pensavano neppure a ribellarsi e volentieri le si sottomettevano. In tutto il suo essere, di creatura viva e bella, c'era
una non so quale mescolanza affascinante di furberia e
di spensieratezza, di artificio e di semplicità, di calma e
di vivacità; in tutto ciò che ella faceva, diceva, in ogni
suo movimento, c'era un fascino sottile, lieve, in tutto
si esprimeva una forza particolare, originale, giocosa. Il
suo volto si mutava continuamente, giocava persino:
esso esprimeva quasi nello stesso tempo scherno, malinconia pensosa e passione. I sentimenti più disparati,
lievi, rapidi, come ombre di nubi in un giorno assolato
di vento, scorrevano di volta in volta nei suoi occhi, sulle sue labbra.

Ciascuno dei suoi adoratori le era necessario.

Belovzorov, che lei qualche volta chiamava «la mia
belva», e talora semplicemente «mio», si sarebbe buttato subito nel fuoco per lei; senza sperare nelle proprie capacità intellettuali e nelle sue altre qualità, continuava a chiederle di sposarlo, alludendo al fatto che
gli altri non facevano che ciarlare. Majdanov rispondeva alle corde poetiche della sua anima: uomo abbastanza freddo, come quasi tutti i compositori, con tenacia l'assicurava, lei e forse anche se stesso, che la venerava, che la cantava in versi infiniti, che le leggeva con
un entusiasmo innaturale e sincero. Lei lo ascoltava e
lo prendeva un po' in giro; gli credeva poco e, dopo
aver ascoltato le sue effusioni, lo costringeva a leggere
Puškin, per purificare l'aria, come lei diceva. Lušin, un
dottore burlone, cinico a parole, la conosceva più di
tutti, e l'amava più di tutti, anche se la rimproverava,
davanti agli occhi e dietro. Lei lo rispettava, ma non gli
cedeva, e a volte, con particolare, maligna contentezza,
gli faceva capire che anche lui era nelle sue mani. «Io
sono una coquette, sono senza cuore, ho la natura di

un'attrice, – gli disse una volta in mia presenza – bene! Così, datemi la vostra mano, e io ficcherò in essa una spilla,[12] e voi proverete vergogna in presenza di questo giovane, proverete dolore, e tuttavia voi, signor uomo giusto, vi metterete a ridere.» Lušin arrossì, si voltò, si morse le labbra, ma finì con il presentare la mano. Lei lo punse, lui cominciò proprio a ridere... e anche lei si mise a ridere, ficcando abbastanza profondamente la spilla e guardandolo negli occhi, che lui invano volgeva da altra parte...

Peggiori di tutto, come interpretai, erano i rapporti esistenti fra Zinaida e il conte Malevskij. Era bello, abile e intelligente, ma qualcosa di dubbio, qualcosa di falso avvertivo in lui, anch'io, che pure ero un ragazzo di sedici anni, e mi stupivo che Zinaida non lo notasse. Forse lei notava questa falsità, ma non le ripugnava. Un'educazione sbagliata, strane conoscenze e abitudini, la continua presenza della madre, la povertà e il disordine in casa, tutto, a cominciare dalla stessa libertà di cui godeva la ragazza, con la coscienza della sua superiorità sulla gente che la circondava, tutto questo aveva sviluppato in lei una certa mezzo sdegnosa indifferenza, e anche mancanza di esigenze. Poteva accadere che Vonifatij riferisse che non c'era zucchero, oppure che venisse a galla un maligno pettegolezzo, o che gli ospiti litigassero, ella si limitava a scuotere i riccioli, a dire: stupidaggini. E non si crucciava.

In compenso mi si scaldava tutto il sangue quando Malevskij si avvicinava a lei, dondolandosi come una volpe, si appoggiava elegantemente alla spalliera della sua seggiola, e cominciava a sussurrarle qualcosa nell'orecchio, con un sorrisetto soddisfatto e di adulazio-

[12] L'aspetto oscuro di Zinaida: qui si rivela addirittura una sua forma lieve di sadismo, descritta alla perfezione.

ne, ed ella, con le braccia incrociate sul petto, lo guardava attentamente e lei stessa sorrideva e dondolava la testa.

– Come mai vi è venuta voglia di accogliere il signor Malevskij? – le chiesi una volta.

– Ha dei baffetti così belli, – rispose. – E poi non è cosa che vi riguardi.

– Non penserete mica che io lo ami, – mi disse un'altra volta. – No. Non posso amare dei tipi così, gente che io non posso che guardare dall'alto in basso. No, io ho bisogno di una persona che riuscisse a vincermi... Ma non ne incontrerò di uomini così, Dio misericordioso! Non andrò a finire nelle zampe di nessuno!

– Vuol dire che non vi innamorerete mai?

– E voi? Forse che non vi amo? – e mi colpì sul naso con la punta del suo guanto.

Sì, Zinaida si divertiva molto con me. Nel corso di tre settimane la vidi ogni giorno, e che cosa non inventò! Da noi lei veniva di rado, e io di questo non ero dispiaciuto; nella nostra casa lei si trasformava in una vera signorina, in una principessina, e io le sfuggivo. Avevo paura di scoprirmi davanti alla mamma, che non era ben disposta verso di lei e ci osservava mal volentieri. Non temevo così mio padre; egli sembrava non notarmi neppure, e con lei parlava poco, ma in qualche modo particolarmente intelligente e significativo. Smisi di studiare, di leggere e persino di passeggiare nei dintorni, e di andare a cavallo. Come un maggiolino legato a una funicella, giravo sempre intorno all'amata casa, mi pareva che sarei voluto rimanere là per sempre... ma questo era impossibile; mia madre brontolava, talvolta la stessa Zinaida mi cacciava via. Talora io mi chiudevo nella mia stanza oppure andavo fino in fondo al giardino, mi arrampicavo sulla rovina conservatasi di un'alta serra di pietra e, con le gambe che penzolavano dal muro (un muro che dava sulla strada), stavo seduto per delle ore e guardavo, guardavo, senza vedere nulla. Vicino a me, sull'ortica polverosa, svolazzavano pigre delle bianche farfalle; un passero ardito si posava non lontano su un mattone rosso mezzo rotto e, cinguettando con irritazione, si voltava continuamente con tutto il corpo e abbassava il codino; delle cornacchie non del tutto fiduciose ogni tanto gracchiavano, standosene in alto, proprio sulla cima nuda di una betulla; il sole e il vento giocavano piano tra i suoi rami umidi; il suono delle campane del monastero Donskoj[13] mi arrivava ogni tanto, pacato e triste, e io stavo seduto, guardavo, ascoltavo, ed ero tutto colmo di una sensazione senza nome, nella quale c'era tutto: il presentimento del futuro, e il desiderio, e la paura della vita. Ma io allora non capivo niente di tutto questo e non avrei saputo in nessun modo definire in tutto questo, ciò che stava in me, o che avrei potuto chiamare con un solo nome: Zinaida.

E Zinaida giocava con me come un gatto col topo. Ella ora civettava con me, e io ero tutto emozionato, e mi scioglievo, ora a un tratto mi respingeva, e io non osavo avvicinarmi a lei, non osavo guardarla.

Ricordo che lei, per alcuni giorni di fila, fu molto fredda con me, io la temevo, e correndo vilmente da loro nella dipendenza, cercavo di tenermi vicino alla vecchia principessa, benché proprio in quel tempo ella imprecasse e gridasse. Le storie delle sue cambiali andavano male, ed essa aveva già avuto due discussioni con il commissariato.

Una volta, mentre passavo per il giardino, presso la nota palizzata, vidi Zinaida; appoggiata con entrambe le mani, stava seduta sull'erba e non si muoveva.

---

[13] Il monastero del Don, fondato nel XVI secolo, proprio dove i russi vinsero i tatari di Kazy-Girej, è oggi la sede del Patriarcato di Mosca.

Avrei voluto cautamente allontanarmi ma lei, improvvisamente, alzò la testa e mi fece un segno imperioso. Mi fermai subito: non la capii al momento. Ella
ripeté il suo segno. Subito saltai la staccionata e corsi
da lei con gioia; ma lei mi fermò con lo sguardo e mi
indicò il vialetto a due passi. Turbato, senza sapere
che cosa fare, mi inginocchiai sul limite del vialetto.
Zinaida era così pallida, in tutti i suoi lineamenti si
vedevano una così amara tristezza, una così profonda
stanchezza, che il cuore mi si strinse, e balbettai involontariamente:

– Che vi succede?

Zinaida tese la mano, strappò un'erba, la morse, poi
la gettò lontano.

– Mi amate molto? – chiese finalmente. – Davvero?

Io non rispondevo, e poi perché avrei dovuto rispondere.

– Sì, – ripeté, guardandomi come prima. – È così. Gli
stessi occhi, – aggiunse, come assorta, e poi si chiuse il
volto con le mani. – Tutto mi è diventato odioso, me ne
andrei al confine del mondo, non posso sopportare tutto questo, non posso venirne fuori... E che cosa mi
aspetta?... Com'è pesante, Dio mio, com'è pesante!

– Perché? – chiesi timidamente.

Zinaida non mi rispose e alzò solo le spalle. Io continuavo a stare in ginocchio e la guardavo con profonda tristezza. Ogni sua parola mi si incideva nel cuore.
In quel momento, ricordo, avrei dato volentieri la mia
vita, perché lei non fosse triste. La guardavo, non capivo il suo dolore, mi immaginavo vivamente che a un
tratto, in un attacco improvviso di invincibile angoscia,
uscisse in giardino e cadesse a terra come falciata. Intorno tutto era luminoso e verde; il vento frusciava tra
le foglie degli alberi, di rado scuotendo un lungo ramo
di un lampone sulla testa di Zinaida. Da qualche parte
un colombo tubava, le api ronzavano, svolazzando in

basso sull'erba rada. Il cielo in alto dolcemente era azzurro, e io provavo una tale tristezza...

– Leggetemi dei versi, – disse alfine Zinaida, appoggiandosi su un gomito. – Mi piace quando leggete i versi. Voi cantate, ma questo è nulla, è da giovani. Leggetemi «Sui colli di Georgia».[14] Però prima sedetevi.

Io sedetti e recitai «Sui colli di Georgia».

– «Perché non può non amare», – ripeté Zinaida. – Ecco perché questa poesia è bella: ci dice quello che non c'è, e che non solo è meglio di quello che c'è, ma che è persino più simile alla verità... Che non può non amare, vorrebbe, ma non può! – Di nuovo tacque e a un tratto tremò e si alzò. – Andiamo. Majdanov sta con mia madre; mi ha portato il suo poema e io l'ho lasciato. Anche lui è triste ora... che fare! Voi un tempo saprete... ma non irritatevi con me!

Zinaida in fretta mi strinse la mano e corse avanti. Tornammo nella casa. Majdanov si accinse a leggere il suo poema *L'assassino*, appena pubblicato, ma io non l'ascoltavo. Egli declamava cantilenando i suoi tetrametri giambici, le rime si alternavano e risuonavano come tamburelli, in maniera rumorosa e vuota, e io continuavo a guardare Zinaida e cercavo sempre di capire il significato delle sue ultime parole.

– «O forse un rivale segreto
   Ti ha all'improvviso soggiogata?» –
gridò a un tratto Majdanov, e i miei occhi e gli occhi di Zinaida si incontrarono. Ella abbassò i suoi e arrossì lievemente. Mi accorsi che era arrossita, e divenni freddo per lo spavento. Già da prima ero geloso di lei, ma solo in quel momento mi balenò in testa il pensiero che lei si fosse innamorata. «Dio mio! Si è innamorata!»

---

[14] Si tratta di una famosa poesia di Puškin, del 1829.

X

I miei veri tormenti cominciarono da quel momento. Mi rompevo la testa, pensavo, ripensavo e, instancabilmente, nei limiti del possibile nascostamente, osservavo Zinaida. In lei era avvenuto un cambiamento: era evidente. Se ne andava a passeggiare da sola, e passeggiava a lungo. Talvolta non si faceva neppure vedere dagli ospiti; stava per ore intiere nella sua stanza. Prima non le succedeva. Io divenni a un tratto, oppure mi sembrò, molto penetrante. «Non è lui, magari?» chiedevo a me stesso. «O l'altro?» passando in rassegna con il pensiero l'uno o l'altro dei suoi ammiratori. Il conte Malevskij (benché provassi vergogna per Zinaida a questo pensiero) mi sembrava il più pericoloso di tutti.

La mia capacità di osservazione non andava oltre il mio naso, e la mia segretezza non ingannò nessuno; almeno il dottor Lušin mi capì presto. Del resto, anche lui era cambiato molto, in quegli ultimi tempi: era dimagrito, rideva spesso come prima, ma in modo più sordo, più cattivo e breve, una irritazione involontaria, nervosa, aveva sostituito la sua precedente placida ironia e il suo ostentato cinismo.

– Perché continuate a trascinarvi da queste parti, giovanotto, – mi disse una volta, rimasto solo con me nel salotto delle Zasekin. (La principessina non era ancora tornata dalla passeggiata, e la voce acuta della principessa risuonava nel mezzanino: stava rimproverando la cameriera). – Voi dovete studiare, lavorare, finché siete giovane. E invece che cosa fate?

– Come fate a sapere se lavoro o no a casa, – gli risposi non senza alterigia ma anche senza confusione.

– Ma quale lavoro! Non avete la testa per pensare al lavoro. Non discuto, per altro, tutto questo, alla vostra età, è nell'ordine delle cose. Però la vostra scelta è molto infelice. Non vi accorgete che casa sia?

– Non vi capisco, – osservai.

– Non capite? Peggio per voi. Considero mio dovere mettervi in guardia. Io, vecchio scapolo, posso frequentare la casa: che mi fa? Noi siamo gente temprata, che volete che ci facciano? Ma la vostra pelle è ancora tenerina; per voi qui l'aria è nociva: credetemi, potreste infettarvi.

– E come?

– Sì, proprio. Voi oggi siete sano? Forse che vi trovate in una situazione normale? Forse che quello che provate vi è utile?

– E che cosa proverei? – dissi, e nello stesso tempo riconoscevo che il medico aveva ragione.

– Giovanotto, giovanotto! – continuò il medico, con un'espressione come se in quella parola fosse rinchiuso qualcosa di molto offensivo. – Perché volete fare il furbo? Quello che avete nel cuore, ve lo si vede in faccia. E del resto, perché discutere? Io qui non ci verrei (il dottore strinse le labbra)... se non fossi quello strambo che sono. Solo ecco perché mi stupisco: come mai voi, con la vostra intelligenza, non vedete quello che succede intorno a voi?

– E che cosa succede? – ripetei, tutto teso e sospettoso.

Il dottore mi guardò con compassione ironica.

– Anch'io sono buono, – disse, come fra sé, – è molto necessario che glielo dica. In una parola, – aggiunse, alzando la voce, – ve lo ripeto: l'atmosfera di questo luogo non vi si addice. Per voi qui è piacevole, e poi? Anche nella serra c'è un buon profumo. Però nella serra non si può vivere. Eh! Ascoltatemi: riprendete il vostro Kajdanov!

La principessa entrò e cominciò a lamentarsi con il dottore, per il suo mal di denti. Poi comparve Zinaida.

– Ecco, – aggiunse la principessa, – signor dottore, rimproveratela. Per tutto il giorno beve acqua e ghiaccio; forse che le fa bene, con la sua debolezza di petto?

– Perché fate questo? – chiese Lušin.

– E che cosa ne può derivare?

– Potrete prendervi un'infreddatura e morirne.

– Proprio? Davvero? E che importa: la strada è quella.

– È così! – borbottò il dottore.

La principessa uscì.

– È così, – ripeté Zinaida. – Forse che è così bello vivere? Guardatevi intorno... Che cosa c'è di bello? O forse pensate che io questo non lo capisca, non lo senta? Mi è rimasto un solo piacere: bere l'acqua col ghiaccio, e voi veramente volete convincermi che una vita simile valga la pena di non rischiare per un attimo di piacere, non parlo di felicità.

– Sì, sì, – osservò Lušin, – capriccio e indipendenza... Queste due parole vi definiscono tutta: tutta la vostra natura sta in queste due parole.

Zinaida si mise a ridere, nervosamente.

– La vostra posta è in ritardo, amabile dottore. Osservate poco; rimanete indietro. Mettetevi gli occhiali. Non ho in mente i capricci, ora; prendere in giro voi, prendere in giro me stessa... Com'è divertente! E riguardo all'indipendenza... Monsieur Vol'demar, – aggiunse a un tratto Zinaida e pestò il piedino, – non assumete quella fisionomia malinconica. Non posso sopportare che mi si commiseri. – Si allontanò rapidamente.

– Atmosfera nociva, atmosfera nociva, per voi, questa, giovanotto, – mi ripeté ancora Lušin.

La sera di quel giorno si radunarono dalle Zasekin i soliti ospiti. C'ero anch'io.

La discussione verteva sul poema di Majdanov. Zinaida lo lodava di tutto cuore.

– Ma sapete che cosa? – gli disse, – se io fossi un poeta, avrei scelto altri soggetti. Forse sono sciocchezze, ma talvolta mi vengono in mente strani pensieri, specialmente quando non dormo, prima del mattino, quando il cielo comincia a diventare rosato e grigio. Per esempio... Non vi metterete a ridere di me?

– No, no! – esclamammo tutti insieme.

– Rappresenterei, – continuò lei, con le braccia incrociate sul petto e con gli occhi rivolti in disparte, – un gruppo di sole fanciulle, giovani, di notte, in una grande barca, su un fiume tranquillo. Splende la luna, e loro sono tutte vestite di bianco, portano ghirlande di fiori bianchi, e cantano, sapete, qualcosa come un inno.

– Capisco, capisco, continuate, – disse significativamente e in modo sognante Majdanov.

– A un tratto, rumore, risa, fiaccole, tamburi sulla riva... È una folla di baccanti, che accorre, con canti e grida. Già qui è compito vostro quello di descrivere il quadro, signor poeta... Vorrei solo che le fiaccole fossero rosse e fumassero molto, e gli occhi delle baccanti scintillassero sotto le ghirlande, e queste dovrebbero essere oscure. Non dimenticate neppure le pelli di tigre e le coppe, e l'oro, molto oro.

– Dove dev'essere l'oro? – chiese Majdanov, buttando indietro i suoi capelli piatti e allargando le narici.

– Dove? Sulle spalle, tra le mani, sui piedi, dovunque. Dicono che nell'antichità le donne portavano degli anelli d'oro alle caviglie. Le baccanti chiamano a sé le ragazze della barca. Le ragazze non cantano più il loro inno, non possono continuarlo, ma non si muovono: il fiume le porta a riva. Ed ecco che a un tratto una di loro si alza silenziosamente... Questo bisogna descriverlo bene: come lei si alza silenziosamente alla luce della luna e come le sue amiche si spaventano... La ragazza scavalca il bordo della barca, le baccanti la circondano, la spingono nella notte, nel buio... Immaginate qui le volute di fumo, e tutto che si confonde. Si sente soltanto il loro lamento, e la sua ghirlanda è rimasta sulla riva.

Zinaida tacque. («Oh, si è innamorata!» pensai io.)

– Tutto qui? – chiese Majdanov.

– Tutto, – rispose Zinaida.

– Non può essere il soggetto di un intero poema, – notò lui con sussiego, – ma mi servirò della vostra idea per una poesia lirica.

– Di tipo romantico? – chiese Malevskij.

– Certo, di tipo romantico, byroniano.

– Secondo me, Hugo è migliore di Byron, – disse con noncuranza il giovane conte, – è più interessante.

– Hugo è uno scrittore di prima classe, – ribatté Majdanov, – e il mio amico Tonkošeev,[15] nel suo romanzo spagnolo *Il trovatore*...

– Ah, è quel libro con i punti interrogativi alla rovescia?[16] – interruppe qui Zinaida.

---

[15] A. Tonkošeev, autore di un romanzo di contenuto spagnolo, pubblicato a Mosca nel 1833, *Il trovatore*.

[16] Per accrescere il colorito spagnolo del libro, l'autore ebbe la trovata di usare anche alcuni aspetti dell'ortografia spagnola, del tutto estranei al russo.

– Sì. Questa è l'usanza degli spagnoli. Io volevo dire
che Tonkošeev...

– Di nuovo discutete di classicismo e romanticismo, –
interruppe Zinaida per la seconda volta. – Giochiamo
invece...

– Alle penitenze? – approvò Lušin.

– No, mi annoia; ma ai paragoni. (Questo gioco l'a-
aveva inventato la stessa Zinaida: si nominava un qual-
siasi oggetto, e ciascuno cercava di trovare un paragone con qualcosa, e chi trovava il paragone più convincente, riceveva un premio.)

La ragazza si avvicinò alla finestra. Il sole era appena tramontato: in cielo stavano alte delle lunghe nuvo-
le rosse.

– A che cosa assomigliano queste nubi? – chiese Zinaida, e senza aspettare la nostra risposta, disse: – A
me pare che assomiglino a quelle vele di porpora, che
stavano sul vascello d'oro di Cleopatra, quando andò
incontro ad Antonio. Ricordate, Majdanov, me l'avete
narrata voi questa storia, poco tempo fa?

Tutti noi, come Polonio nell'*Amleto*, decidemmo
che quelle nubi ricordavano proprio le vele rosse di
Cleopatra e che paragoni migliori nessuno di noi ne
avrebbe trovati.

– E quanti anni Antonio aveva allora? – chiese Zinaida.

– Certamente, doveva essere giovane, – notò Malevskij.

– Sì, giovane, – affermò convinto Majdanov.

– Scusate, – esclamò Lušin. – Aveva già passato i
quarant'anni.

– Aveva più di quarant'anni, – ripeté Zinaida, get-
tando su di lui un rapido sguardo.

Io presto tonai a casa. «Si è innamorata, – mormoravano involontariamente le mie labbra. – Ma di
chi?»

I giorni passavano. Zinaida diventava sempre più strana, sempre più incomprensibile. Una volta andai da lei
e la trovai che stava seduta su una seggiola di paglia,
con la testa appoggiata all'acuto angolo del tavolo. Si
raddrizzò... il suo volto era pieno di lacrime.

– Ah, siete voi! – disse con crudele ironia. – Venite
qui.

Mi avvicinai a lei: mi mise una mano sulla testa, e al-
l'improvviso mi prese per i capelli, e cominciò a tirar-
meli.

– Mi fa male, – dissi alla fine.

– Ah, vi fa male. E a me non fa male? Non fa male? –
ripeté.

– Ahi! – gridò a un tratto, vedendo che mi aveva
strappato una piccola ciocca di capelli. – Che cosa ho
fatto! Povero monsieur Vol'demar!

Cautamente lisciò i capelli strappati, li avvolse intorno a un dito e ne fece un anello.

– Metterò i vostri capelli in un medaglione, e li por-
terò con me, – e nei suoi occhi brillavano le lacrime.
– Questo forse vi conforterà un poco... E ora, addio!

Tornai a casa e trovai una situazione spiacevole. Mia
madre aveva avuto una spiegazione con papà: lo aveva
rimproverato per qualcosa e lui, al suo solito, era stato
zitto, in modo freddo e gentile, e poi era uscito. Non
potei sentire di che cosa aveva parlato la mamma, e poi
non mi interessava: ricordo solo che alla fine della di-

scussione lei ordinò di mandarmi a chiamare nello studio, e con volto scontento mi chiese conto delle mie frequenti visite alla principessa che, secondo le sue parole, era *une femme capable de tout*. Mi avvicinai a lei e le baciai la mano (come facevo sempre quando volevo interrompere un discorso) e me ne andai nella mia stanza. Le lacrime di Zinaida mi avevano completamente messo fuori di me; proprio non sapevo che cosa pensare, ero pronto a piangere anch'io: ero come un bambino, nonostante i miei sedici anni di età. Ormai non pensavo più a Malevskij, benché Belovzorov diventasse sempre più minaccioso, e guardava l'abile conte come un lupo guarda un montone. Mi perdevo in congetture e cercavo sempre luoghi solitari. Amavo in particolare le rovine della serra. Succedeva che mi arrampicassi sull'alto muro, mi mettessi a sedere, e rimanessi là sentendomi un giovane così infelice, solo e triste, che provavo persino pietà per me stesso, e pure mi erano così piacevoli queste sensazioni, e me ne abbeveravo!...

Ed ecco che una volta, mentre me ne sto seduto sul muro, guardo lontano e sento il suono delle campane... A un tratto qualcosa scorse su di me, non era tanto un venticello, quanto un tremore, un soffio, come la sensazione di qualcuno che era vicino... Abbassai gli occhi. E vedo, sulla strada, nel suo vestito grigio, leggero, con un ombrellino rosa in spalla, Zinaida, che andava in fretta. Mi vide, si fermò e, sollevata la tesa del suo cappello di paglia, alzò verso di me i suoi occhi di velluto.

– Che cosa fate, lassù, così in alto? – mi chiese con uno strano sorriso. – Ecco, – continuò, – affermate sempre di amarmi, allora saltate giù verso di me, sulla strada, se effettivamente mi amate.

Zinaida non era riuscita a finire la frase, che io già volavo giù, come se qualcuno mi avesse spinto dietro.

Il muro era alto circa due saženy.[17] Arrivai a terra con i piedi, ma l'urto era stato così forte che non potei trattenermi: caddi e per un attimo persi la coscienza. Quando rinvenni, senza aprire gli occhi, sentii vicino a me Zinaida.

– Mio caro ragazzo, – diceva, china su di me, e nella sua voce risuonava una turbata tenerezza, – come hai potuto farlo, come hai potuto obbedirmi... Perché io ti amo... alzati.

Il suo petto respirava vicino a me, le sue mani sfioravano la mia testa e a un tratto – che cosa non ho provato allora! – le sue labbra, fresche, morbide, cominciarono a coprirmi il volto di baci... sfiorarono le mie labbra... Ma qui Zinaida, certamente indovinando che ero tornato in me, benché continuassi a tenere gli occhi chiusi, si alzò rapidamente, dicendo:

– Su, alzatevi, bricconcello, folle; che cosa fate nella polvere?

Mi alzai.

– Datemi l'ombrellino, – disse Zinaida, – l'ho buttato da qualche parte; e non guardatemi così... Che sciocchezze sono? Non vi siete fatto male? O forse vi siete bruciato nell'ortica? Ve lo dico, non guardatemi... Ma non capisce, non risponde, – aggiunse come fra sé e sé. – Andate a casa, monsieur Vol'demar, pulitevi, e non osate seguirmi, altrimenti mi arrabbio e mai più...

Non finì le sue parole, e rapidamente si allontanò, io mi sedetti sulla strada... le gambe non mi reggevano. L'ortica mi aveva bruciato le mani, la schiena mi faceva male e la testa mi girava; ma la sensazione di beatitudine che provai allora non si ripeté più nella mia vita. Essa stava come un dolce male nelle mie membra e si risolse finalmente con salti di gioia ed esclamazioni. Proprio così: ero ancora un bambino.

---

[17] Una *sažena* («*sažen*») era pari a metri 2,134.

XIII

Ero così felice e orgoglioso quel giorno, serbavo sul mio volto in modo così vivo la sensazione dei baci di Zinaida, con un tale tremore d'entusiasmo ricordavo ciascuna sua parola, cullavo così la mia inattesa felicità, che provavo persino paura, non volevo neppure vederla, lei, la colpevole di tutte quelle sensazioni. Mi sembrava che non si potesse chiedere di più dal destino, che ora sarebbe stato necessario «prendere su, sospirare per l'ultima volta, e morire». Però il giorno dopo, avviandomi alla dipendenza, sentivo un grande turbamento, che cercavo di nascondere sotto la maschera di una modesta disinvoltura, propria di chi desidera far capire che sa conservare un segreto.

Zinaida mi accolse in modo molto semplice, senza alcuna agitazione, mi minacciò solo con il dito e mi chiese se non avessi dei lividi. Tutta la mia modesta disinvoltura e misteriosità scomparvero all'istante, e così anche il mio turbamento. Certo, non mi aspettavo niente di particolare, ma la tranquillità di Zinaida fu per me come una doccia di acqua fredda. Capii che ai suoi occhi ero un bambino, e la cosa fu per me assai pesante! Zinaida camminava avanti e indietro per la stanza, ogni volta che mi guardava sorrideva fugacemente; ma i suoi pensieri erano lontani, e lo vedevo chiaramente... «Parlare di ciò che è avvenuto ieri, – pensavo – per sapere definitivamente...», ma mi limitai ad agitare la mano e mi sedetti in un angolo.

Entrò Belovzorov; ne fui contento.

– Non ho trovato per voi un cavallo da sella tranquillo, – disse con voce severa, – Frejtag me ne vuole affidare uno, ma io non sono sicuro. Ho paura.

– Di che cosa avete paura, se posso chiederlo? – disse Zinaida.

– Di che cosa? Del fatto che voi non sapete cavalcare. Che Dio faccia che non succeda! Ma che razza di fantasia vi è venuta in testa?

– Sono affari miei, signora belva mia. In tal caso lo chiederò a Pjotr Vasil'evič... (Mio padre si chiamava Pjotr Vasil'evič. Mi stupii del fatto che lei pronunciasse così facilmente e liberamente il suo nome, come se fosse sicura che lui fosse pronto a servirla.)

– Ah ecco, – ribatté Belovzorov. – Volete cavalcare con lui?

– Con lui o con un altro, questo per voi è lo stesso. Solo non con voi.

– Non con me, – ripeté Belovzorov. – Come volete. E allora? Vi procuro il cavallo.

– Ma badate bene, a non darmi una qualche mucca. Vi preannuncio che desidero galoppare.

– E allora galoppate, prego... Con chi? Con Malevskij andrete?

– E perché non con lui, guerriero? Su calmatevi e non fate scintillare gli occhi. Prenderò anche voi. Sapete che cosa è ora per me Malevskij? Pfu! – e scosse la testa.

– Dite questo solo per consolarmi, – borbottò Belovzorov.

Zinaida socchiuse gli occhi.

– La cosa vi consola? ... Oh... oh... oh... guerriero! – disse ella alla fine, come se non trovasse altre parole. – E voi, monsieur Vol'demar, cavalchereste con noi?

– Non mi piace... quando c'è tanta gente... – borbottai io, senza alzare gli occhi.

– Preferite i *tête-à-tête*?... Ognuno pensa quello che

vuole... al salvato il paradiso, – disse lei sospirando.
– Su andate, Belovzorov, datevi da fare. Ho bisogno di
un cavallo, per domani.

– Sì, e i soldi dove li prendi? – s'intromise qui la
principessa.

Zinaida aggrottò le sopracciglia.

– A voi non li chiedo; Belovzorov ha fiducia in me.

– Ha fiducia, ha fiducia... – profferì la principessa, e
a un tratto gridò a gran voce: – Dunjaška!

– *Maman*, vi ho regalato un campanellino – osservò
la principessina.

– Dunjaška! – ripeté la vecchia.

Belovzorov salutò; io uscii con lui. Zinaida non mi
trattenne.

Il giorno dopo mi alzai presto, mi ritagliai un bastone e mi diressi oltre la barriera. Forse, camminando, allevierò il dolore. Il giorno era bellissimo, luminoso, e non troppo caldo; un vento allegro, fresco, correva sulla terra e in ritmo rumoreggiava e giocava; facendo muovere tutto e senza turbare niente. A lungo errai per le alture, per i boschi; non mi sentivo felice, ero uscito di casa per abbandonarmi alla malinconia, ma la giovinezza, il tempo meraviglioso, l'aria fresca, il piacere della veloce camminata, la dolcezza di giacere in solitudine sulla fitta erba, presero la loro parte: il ricordo di quelle indimenticabili parole, di quei baci di nuovo mi affollarono l'anima. Mi era piacevole pensare che Zinaida non poteva, tuttavia, non dare il giusto riconoscimento alla mia risoluta decisione, al mio eroismo... «Gli altri, per lei, sono meglio di me, – pensavo – pazienza. Però gli altri dicono solo di fare, e io l'ho fatto! E che cosa non sono in grado di fare per lei!...» La mia immaginazione si mise a folleggiare. Cominciai a immaginare in che modo l'avrei salvata dalle mani dei nemici, come, tutto sporco di sangue, l'avrei strappata da una segreta, come sarei morto ai suoi piedi. Ricordavo il quadro appeso nel nostro salotto: *Malek-Adel che porta via Matilda*,[18] ma qui fui

---

[18] *Malek-Adel che porta via Matilda*: ci si riferisce al romanzo della nota scrittrice francese Sophie Cottin (1773-1807), *Mathilde, o memorie tratte dalla storia delle crociate*.

distratto dalla comparsa di un grosso picchio variopinto, che, tutto in faccende, saliva sul tronco sottile di una betulla e che, inquieto, sbirciava da dietro l'albero, ora a destra, ora a sinistra, come un suonatore da dietro il collo di un contrabbasso.

Poi mi misi a cantare «Non bianche sono le nevi»[19] e passai alla romanza allora assai nota «Ti aspetto, quando il capriccioso zefiro»; quindi mi misi a recitare ad alta voce il discorso alle stelle fatto da Ermak, nella tragedia di Chomjakov;[20] tentai anche di comporre qualcosa nel genere sentimentale, pensai persino a un verso con cui si doveva concludere tutta la poesia: «Oh! Oh Zinaida!», ma non mi riuscì per nulla. Era intanto arrivato il tempo del pranzo. Scesi a valle; una stretta stradina sabbiosa serpeggiava là e conduceva alla città. Camminai per questa stradina... Dietro a me echeggiò il sordo calpestìo di zoccoli di cavallo. Guardai indietro, involontariamente mi tolsi il berretto, e vidi mio padre e Zinaida. Cavalcavano affiancati. Mio padre le diceva qualcosa, si piegava verso di lei con tutto il corpo, appoggiandosi con la mano al collo del cavallo; sorrideva. Zinaida lo ascoltava in silenzio, abbassava severamente gli occhi e stringeva le labbra. Dapprima io scorsi soltanto loro; solo dopo alcuni momenti, da una svolta della valle, apparve Belovzorov, nella sua divisa di ufficiale, con la mantellina, su un cavallo schiumante, morello. Il buon cavallo scuoteva la testa, sbuffava, danzava: il cavaliere lo frenava e lo spronava. Io mi feci da parte. Mio padre aggiustò le briglia, si scostò da Zinaida, Zinaida lentamente levò verso di lui gli

---

[19] *«Non bianche sono le nevi»*: canzone popolare del tempo, come «Ti aspetto, quando il capriccioso zefiro», canzone tratta da una poesia di P. Vjazemskij.

[20] A.S. Chomjakov (1804-1860) era uno scrittore, poeta e pubblicista, uno degli ideologi del primo slavofilismo. Scrisse, fra l'altro, la tragedia storica *Ermak* (1832), dedicata al celebre conquistatore della Siberia (XVII secolo).

occhi... Belovzorov galoppò dietro a loro, facendo risuonare la sciabola. «Lui è rosso come un gambero, – pensai – e lei... perché è così pallida? Ha galoppato tutta la mattina ed è pallida?»

Accelerai il passo e arrivai a casa proprio prima di pranzo. Mio padre già sedeva, si era cambiato, lavato, era fresco, vicino alla poltrona della mamma, e le leggeva con la sua voce uguale e sonora il feuilleton del «Journal des Débats»,[21] ma la mamma lo ascoltava senza fare attenzione e, vedendomi, mi chiese dove ero andato a finire tutto il giorno, e aggiunse che non le piaceva quando si gironzolava Dio sapeva dove e Dio sapeva con chi. «Ho passeggiato da solo» stavo per dire, ma guardai mio padre e, non so perché, tacqui.

[21] *«Journal des Débats»*: giornale francese, che veniva pubblicato fin dal 1789. Tra i più noti autori di «feuilletons» o romanzi (d'appendice) pubblicati su questo giornale c'era Jules Janin (1804-1874), assai noto in Russia.

XV

Nel corso dei successivi cinque, sei giorni, quasi non vidi Zinaida. Si dava malata, il che non impediva, per altro, ai soliti visitatori della dipendenza, di compiere, come essi dicevano, il loro turno di guardia; tutti, meno Majdanov, che si era subitaneamente come perso d'animo, e si annoiava, quando non aveva motivi per estasiarsi.

Belovzorov stava seduto cupo in un angolo, tutto abbottonato e rosso; sul volto sottile del conte Malevskij errava un non so quale cattivo sorriso; effettivamente era caduto in disgrazia presso Zinaida e con particolare premura adulava e serviva la principessa, andò con lei in una vettura presa a nolo, dal generalegovernatore. Del resto questo viaggio si rivelò senza successo, e per Malevskij sorse anche una cosa spiacevole: gli ricordarono una non so quale storia con degli ufficiali viaggiatori, ed egli dovette, nelle sue spiegazioni, dire che egli allora non aveva esperienza. Lušin arrivava un paio di volte al giorno, ma rimaneva poco; io un po' lo temevo, dopo la nostra ultima spiegazione e nello stesso tempo sentivo per lui una sincera attrazione. Una volta uscì a passeggio con me nel giardino Neskučnyj, era molto bonario e gentile, mi indicava i nomi di varie erbe e fiori e a un tratto, senza nessun nesso, esclamò, battendosi la fronte: – E io, sciocco, pensavo che fosse una *coquette*! Si vede che sacrificarsi è dolce, per gli altri.

– Che volete dire?

– A voi non voglio dire niente, – ribatté Lušin, con uno scatto.

Zinaida mi evitava: la mia comparsa, non potevo non notarlo, provocava in lei un'impressione spiacevole. Ella, involontariamente, si scostava da me, involontariamente: ecco quello che era amaro, che mi tormentava! Ma non c'era niente da fare, e io cercai di non farmi vedere da lei, e solo di lontano la osservavo, cosa che non sempre mi riusciva. Come prima era avvenuto in lei qualcosa di incomprensibile; il suo volto mutò, lei tutta divenne diversa. Mi turbò in particolare il mutamento avvenuto in lei una sera tiepida, tranquilla. Stavo seduto su uno sgabello basso sotto un grande cespuglio di sambuco; mi piaceva quel posticino: di là si poteva vedere la stanza di Zinaida. Stavo seduto; sulla mia testa, tra le foglie che si oscuravano, volava in su e in giù un uccellino affaccendato; un gatto grigio, con la schiena tutta tesa, camminava cautamente nel giardino, e i primi maggiolini ronzavano nell'aria ancora trasparente ma non più luminosa. Stavo seduto e guardavo la finestra: aspettavo che si aprisse: e si aprì, e comparve Zinaida. Indossava un abito bianco, e lei stessa, il suo volto, le spalle, le braccia, erano pallidi, fino al biancore. Rimase a lungo immobile, a guardare immobile, direttamente, da sotto le sopracciglia abbassate. Non avevo mai visto in lei un tale sguardo. Poi lei strinse le mani, fortemente, le portò alle labbra, alla fronte e improvvisamente, aperte le dita, scostò i capelli dalle orecchie, li scosse, e con risolutezza piegò la testa dall'alto in basso e chiuse la finestra.

Tre giorni dopo mi incontrò in giardino. Io volevo farmi in disparte, ma fu lei stessa a fermarmi.

– Datemi la mano, – mi disse con la tenerezza di prima, – è da molto che non chiacchieriamo.

Io la guardai: i suoi occhi scintillavano dolcemente, e il suo volto sorrideva, come attraverso un velo.

– State poco bene? – le chiesi.

– No, oggi è passato tutto, – mi rispose, e colse una piccola rosa rossa. – Sono un po' stanca, ma passerà anche questo.

– E voi sarete come prima? – le chiesi.

Zinaida portò la rosa al volto, e mi parve che il riflesso dei petali luminosi le si riflettesse sulle guance.

– Forse che sono cambiata? – mi chiese.

– Sì, siete cambiata, – risposi sottovoce.

– Con voi sono stata fredda, lo so, – cominciò Zinaida, – ma voi non dovete fare attenzione a questo... Non potevo fare diversamente... Ma perché parlare di questo?

– Voi non volete che io vi ami, ecco! – esclamai cupamente, con involontario impeto.

– No, amatemi, ma non come prima.

– Come?

– Siamo amici, ecco. – Zinaida mi dette la rosa perché la fiutassi. – Sentite, io sono più anziana di voi, potrei essere una vostra zietta; no, non una zia, una sorella maggiore. E voi...

– Per voi sono un bambino, – la interruppi.

– Sì, certo, un bambino, ma caro, buono, intelligente, che io amo molto. Lo sapete? Io oggi stesso vi nomino mio paggio; e voi non dimenticate che i paggi non si devono allontanare dalle loro signore. Ecco, un segno di questa nuova dignità, – aggiunse, mettendo la rosa nell'asola della mia giacca, – un segno della nostra benevolenza per voi.

– Da voi io ho ottenuto prima altri segni della vostra benevolenza, – borbottai.

– Ah! – esclamò Zinaida, guardandomi di fianco. – Che memoria! E che? Anche ora sono pronta...

Così, chinatasi verso di me, mi stampò sulla fronte un bacio puro, tranquillo.

Io la guardai soltanto, ma lei si voltò e si avviò verso

la dipendenza, dicendomi: «Seguitemi, mio paggio!».
Io la seguii, perplesso. «Forse questa Zinaida così mite,
così giudiziosa, è quella stessa che io conoscevo?» Anche il suo incedere mi parve più quieto, tutta la sua figura più maestosa ed elegante...

Dio mio: e con quale forza divampò in me ancora di
più l'amore!

XVI

Dopo pranzo, gli ospiti si radunarono ancora nella dipendenza, e la principessina andò da loro. Tutta la compagnia era presente al completo, come in quella prima sera, per me indimenticabile. Era venuto persino Nirmackij; Majdanov era arrivato prima di tutti, portando dei nuovi versi. Ricominciarono i giochi ai pegni, ma senza le strane trovate di prima, senza scherzi e rumore, l'elemento zingaresco era scomparso. Zinaida dava un nuovo stile ai nostri incontri. Io sedevo vicino a lei, per i miei diritti di paggio. Fra l'altro ella propose che la persona che doveva pagare il pegno, raccontasse un suo sogno. Ma la cosa non ebbe successo. I sogni o erano poco interessanti (Belovzorov aveva visto in sogno che nutriva il suo cavallo con i carassi, e che il cavallo aveva la testa di legno), oppure artificiosi, costruiti. Majdanov ci offrì un'intera novella: c'erano delle cripte funebri, angeli con le lire, fiori parlanti e suoni che venivano da lontano. Zinaida non lo lasciò finire.

– Se la cosa doveva finire con le composizioni, – disse, – allora che ciascuno racconti qualcosa di pensato al momento.

Il primo cui toccò parlare fu Belovzorov.

Il giovane ussaro si turbò.

– Non posso inventare niente! – esclamò.

– Sciocchezze! – affermò Zinaida. – Immaginatevi invece di essere sposato, e raccontateci come passate il tempo con vostra moglie. La rinchiudereste a chiave?

– Sì.

– E stareste voi stesso con lei?

– Sì, starei sempre con lei.

– Magnifico. E se questo a lei venisse a noia, e vi tradisse?

– La ucciderei.

– E se lei fuggisse?

– La raggiungerei e la ucciderei ugualmente.

– Bene. E, mettiamo che fossi io vostra moglie, che cosa avreste fatto?

Belovzorov tacque un po'.

– Mi sarei ucciso...

Zinaida si mise a ridere.

– Vedo che la vostra canzone non è tanto lunga.

Il secondo pegno che uscì fu per Zinaida. Lei alzò gli occhi al soffitto e si mise a pensare.

– Ecco, ascoltate, – cominciò finalmente – che cosa mi è venuto in mente... Immaginate un palazzo meraviglioso, una notte d'estate e un ballo splendido. Questo ballo è dato da una giovane regina. Ovunque oro, marmi, cristalli, sete, luci, diamanti, fiori, profumi, tutti i piaceri del lusso.

– Vi piace il lusso? – la interruppe Lušin.

– Il lusso è bello, – gli ribatté lei, – e mi piace tutto ciò che è bello.

– Più di ciò che è bellissimo? – chiese lui.

– Qui c'è qualcosa di astuto, che non capisco. Non confondetemi. Così il ballo è stupendo. Gli ospiti sono numerosi, sono tutti giovani, belli, valorosi, tutti perdutamente innamorati della regina.

– Non ci sono donne fra gli ospiti? – chiese Malevskij.

– No, o aspettate: ce ne sono.

– Tutte brutte?

– Affascinanti. Ma gli uomini sono tutti innamorati della regina. Che è alta ed elegante; porta un piccolo diadema sui capelli neri.

Io guardai Zinaida: e in questo momento ella mi parve così più alta di tutti noi, e dalla sua fronte bianca, dalle sue sopracciglia spirava un'intelligenza così luminosa e un tale potere, che io pensai: «Sei tu stessa quella regina!».

– Tutti si affollano intorno a lei, – continuò Zinaida, – e tutti prodigano davanti a lei i discorsi più adulatori.

– E lei ama l'adulazione? – chiese Lušin.

– Come siete insopportabile! Interrompete sempre... Chi non ama l'adulazione?

– Ancora una, un'ultima domanda, – osservò Malevskij. – La regina ha un marito?

– A questo non ho pensato. No, perché dovrebbe avere un marito?

– Certo, – convenne Malevskij, – perché dovrebbe avere un marito?

– *Silence!* – esclamò Majdanov, che parlava male il francese.

– *Merci*, – gli disse Zinaida. – Così la regina ascolta questi discorsi, ascolta la musica, ma non guarda nessuno degli ospiti. Sei finestre sono aperte, dall'alto al basso, dal soffitto al pavimento; e di là c'è un cielo nero con grandi stelle, e un giardino oscuro con grandi alberi. La regina guarda il giardino. Là, vicino agli alberi, c'è una fontana, che biancheggia nel buio: lunga, lunga come una visione. La regina sente attraverso le voci e la musica il cheto chioccolio dell'acqua. Ella guarda e pensa: tutti voi, ospiti, siete nobili, intelligenti, ricchi, voi mi circondate, voi apprezzate ogni mia parola, voi siete tutti pronti a morire ai miei piedi, io vi domino... Ma là, vicino alla fontana, vicino a quell'acqua che sciaborda, sta e attende colui che amo, che mi domina. Non indossa né un vestito ricco, né ha pietre preziose, nessuno lo conosce, ma lui mi aspetta, ed è sicuro che io verrò, e io verrò, e non c'è potere che potrebbe fermarmi, se io desidero andare da lui, e restare con lui, e perdermi con lui, là, nell'oscurità del giardino, al fruscio degli alberi, al mormorio della fontana...

Zinaida tacque.

– È una fantasia? – chiese furbescamente Malevskij.

Zinaida non lo guardò neppure.

– E voi che cosa avreste fatto, signori, – disse a un tratto Lušin, – se foste stati fra quegli ospiti e aveste saputo di quell'uomo felice della fontana?

– Un momento, un momento, – lo interruppe Zinaida, – io stessa vi dirò che cosa avrebbe fatto ciascuno di voi. Voi, Belovzorov, l'avreste sfidato a duello; voi, Majdanov, avreste scritto un epigramma contro di lui... Ma no, non siete capace di scrivere epigrammi: avreste composto un lungo poema in giambi contro di lui, sul tipo di quelli di Barbier,[22] e l'avreste pubblicato sul «Telegraf».[23] Voi, Nirmackij, avreste preso da lui... no, gli avreste dato in prestito dei soldi, con gli interessi; voi, dottore... – Ella si fermò. – Ecco, io non so che cosa avreste fatto voi.

– Data la mia funzione di medico dell'esercito, – risponde Lušin, – avrei consigliato alla regina di non dare balli, se non le importava nulla degli ospiti...

– Forse, e avreste avuto ragione. E voi, conte...

– E io? – ripeté con il suo sorriso cattivo Malevskij...

– Voi gli avreste portato un confetto avvelenato.

La faccia di Malevskij si contrasse lievemente e assunse per un attimo un'espressione ebraica,[24] ma si mise subito a ridere.

---

[22] Henry August Barbier d'Aurevilly (1805-1882), poeta francese, autore fra l'altro di un volume di *Jambes* (1834), che ebbe notevole risonanza anche in Russia. Oggetto degli strali di Barbier era la vigliaccheria dei borghesi, traditori della rivoluzione del 1830.

[23] Il «Telegraf» era una rivista letteraria, culturale, di notevole importanza in quegli anni. Il direttore era Polevoj.

[24] Malevskij è, in qualche modo, il «vilain» della compagnia. Era, ahimè, polacco, e aveva pure, qualche volta, come qui, «un'espressione ebraica». Turgenev però non era antisemita.

– Per quanto riguarda voi, Vol'demar... – continuò
Zinaida, – del resto, basta. Facciamo un altro gioco.

– Monsieur Vol'demar, in qualità di paggio della regina, avrebbe tenuto lo strascico, quando lei fosse fug-
gita in giardino, – osservò Malevskij, velenosamente.

Io avvampai, ma Zinaida rapidamente mi pose una
mano sulla spalla e, alzandosi, disse con voce tremante:

– Non ho mai dato a vostra eccellenza il diritto di
essere insolente, e perciò vi prego di andarvene. – E gli
indicò la porta.

– Scusate, principessina, – borbottò Malevskij, e im-
pallidì.

– La principessina ha ragione, – esclamò Belovzorov e pure lui si alzò.

– Eh, santo Dio, non mi aspettavo questo, – continuò Malevskij, – nelle mie parole, non c'era niente di
così... nelle mie intenzioni non c'era nulla di offensivo
per voi... Scusatemi.

Zinaida gli rivolse uno sguardo freddo e sorrise
freddamente.

– Prego, rimanete, – disse con un movimento di
sprezzo della mano. – Io e monsieur Vol'demar ci siamo irritati inutilmente. Provate piacere a morsicare...
Alla salute.

– Perdonatemi, – ripeté ancora una volta Malevskij
e io, nel ricordare il movimento di Zinaida, pensai di
nuovo che una vera regina non avrebbe potuto con
maggiore dignità indicare la porta all'insolente.

Il gioco ai pegni continuò per poco tempo dopo
questa piccola scena; tutti provavano una sensazione
di disagio, non tanto per la scena, quanto per un altro
sentimento, non del tutto definito, ma pesante. Nessuno ne parlò, ma ciascuno lo provava dentro di sé e
nel suo vicino. Majdanov ci lesse i suoi versi e Malevskij con calore esagerato li lodò. – Adesso fa di tutto
per sembrare buono –, mi mormorò Lušin. Ci la-

sciammo presto. Zinaida si immerse a un tratto nelle sue meditazioni; la principessa mandò a dire che le doleva la testa; Nirmackij si mise a lamentarsi dei suoi reumatismi...

A lungo non potei addormentarmi, mi aveva colpito il racconto di Zinaida.

«Forse c'è qui un'allusione? – chiedevo a me stesso, – e allusione a chi, a che cosa? E se c'è proprio qualcosa cui alludere... come decidere? No, no, non può essere», bisbigliai, rivoltandomi da una guancia ardente all'altra... Ma io ricordavo l'espressione del viso di Zinaida durante il racconto... ricordavo l'esclamazione di Lušin, nel Neskučnyj, i mutamenti improvvisi dei suoi atteggiamenti verso di me, e mi persi nelle congetture. «Chi è lui?» Queste tre parole stavano davanti ai miei occhi, come incise nella tenebra; era come se una bassa nube maligna fosse sospesa su di me, e io sentii il suo peso e aspettavo che essa scoppiasse. Negli ultimi tempi mi ero abituato a molte cose, avevo osservato molte cose dalle Zasekin; il loro disordine, i moccoli di sego, i coltelli e le forchette rotte, il cupo Vonifatij, la cameriera dai vestiti tutti strappati, i modi della stessa principessa: tutto questo strano modo di vivere non mi stupiva più... Ma quello che mi meravigliava, confusamente, in Zinaida, a quello non riuscivo ad abituarmi... «Un'avventuriera», disse di lei una volta mia madre. Un'avventuriera! Lei, il mio idolo, la mia divinità! Questo epiteto mi bruciava, cercavo di soffocarlo, con la faccia nel cuscino, mi indignavo, e nello stesso tempo su che cosa non sarei stato d'accordo, che cosa non avrei dato, pur di essere quella persona felice presso la fontana!..

Il sangue in me bruciava e gelava. «Il giardino... la fontana... – pensavo. – Andrò là, nel giardino.» In fretta mi vestii e scivolai fuori di casa. La notte era oscura, gli alberi mormoravano appena; dal cielo scendeva un

sottile freddolino, dall'orto proveniva l'odore del fi-
nocchio.

Percorsi tutti i viali; il lieve suono dei miei passi mi
inquietava e mi dava coraggio; mi fermavo ogni tanto,
e aspettavo, e ascoltavo, il battito del mio cuore, forte,
rapido. Finalmente mi avvicinai alla palizzata e mi appoggiai a una sottile pertica. A un tratto – o soltanto
mi sembrò? – ad alcuni passi da me apparve una figura
di donna... Aguzzai lo sguardo nel buio, trattenni il respiro. Che cos'era? Erano passi quelli che sentivo o era
il mio cuore? «Chi è là» dissi in modo appena udibile.
E questo che era ancora? Un riso soffocato?... O forse
un fruscio tra le foglie... O un sospiro, sull'orecchio?
Provai una grande paura... «Chi è là», ripetei ancora
più piano.

L'aria per un attimo soffiò; in cielo brillò una stretta
striscia infuocata; una stella tramontò. «Zinaida?» volevo chiedere ma la voce mi morì tra le labbra. E a un
tratto tutto divenne, lì intorno, profondamente silenzioso, come succede a volte nel mezzo della notte...
Persino i grilli cessarono di trillare sugli alberi, solo
una finestrina sbatté da qualche parte. Io stetti lì, stetti
fermo e poi tornai nella mia stanza, nel mio letto dive-
nuto freddo. Sentivo una strana agitazione: come se
fossi andato a un appuntamento e fossi rimasto solo e
fossi passato vicino alla felicità altrui.

XVII

Il giorno dopo vidi Zinaida solo di sfuggita: andava con la madre da qualche parte, in carrozza. Incontrai invece Lušin che, del resto, mi degnò appena di un saluto, e Malevskij. Il giovane conte mi fece un largo sorriso e si mise a parlare amichevolmente con me. Di tutti gli ospiti della dipendenza solo lui aveva saputo farsi accogliere nella nostra casa e diventare simpatico a mia madre. A mio padre non piaceva e lo trattava in modo poco gentile, offensivo.

– Ah, *monsieur le page*! – cominciò Malevskij, – sono molto contento di vedervi. Che cosa fa la nostra bellissima regina?

Il suo volto fresco, bello, mi era così odioso in quel momento ed egli mi guardava in modo così sprezzante e ironico che non gli risposi neppure.

– Siete sempre arrabbiato? – continuò. – È inutile. Non sono stato io a definirvi paggio e i paggi stanno prevalentemente presso le regine. Ma permettetemi di osservare che voi adempite male al vostro dovere.

– Come?

– I paggi non devono separarsi mai dalle loro signore; i paggi devono sempre sapere che cosa le signore fanno, devono persino custodirle, – aggiunse abbassando la voce, – giorno e notte.

– Che cosa volete dire?

– Che cosa voglio dire? Mi pare di esprimermi chiaramente. Di giorno e di notte. Di giorno c'è luce, e c'è tanta gente. Di giorno va tutto bene. Ma di notte, ti puoi aspettare dei guai. Vi consiglio di non dormire di notte, e di osservare, controllare, con tutte le vostre forze. Ricordate: nel giardino, di notte, presso la fontana, ecco dove bisogna stare di sentinella. Mi ringrazierete.

Malevskij si mise a ridere e mi voltò la schiena. Forse non dava troppa importanza a quello che mi aveva detto; aveva la fama di essere un grande mistificatore ed era famoso per la sua capacità di prendere in giro la gente, nei balli in maschera, cosa che gli veniva facile per quella sua quasi inconscia capacità di mentire, di cui era compenetrato tutto il suo essere... Voleva solo irritarmi un po'; ma ogni sua parola scorse come un veleno in tutte le mie vene. Il sangue mi salì alla testa. «Ah! Ecco! – dissi a me stesso. – Bene! Vuol dire che i miei presentimenti di ieri erano giusti! Vuol dire che c'era una ragione perché fossi attratto nel giardino! Non succederà!!» esclamai ad alta voce e mi colpii forte col pugno, anche se a dire il vero non sapessi proprio che cosa non dovesse avvenire. «Lo stesso Malevskij vuol andare nel giardino, – pensai (egli forse ha solo cianciato, per questo ne ha di insolenza) o qualcun altro (la palizzata del nostro giardino era molto bassa, e non era certo difficile scavalcarla), – e male incoglierà a costui, se si imbatterà in me! Non consiglio a nessuno di farsi vedere da me! Dimostrerò a tutto il mondo e anche a lei, la traditrice (proprio così la chiamai: traditrice), che io so vendicarmi.»

Tornai nella mia stanza, presi dalla scrivania un temperino inglese acquistato poco tempo prima, sentii il filo della lama e, aggrottando le sopracciglia, con decisione fredda e concentrata, me lo ficcai in tasca, come se tali faccende fossero per me non straordinarie, ma come se non fosse la prima volta. Il cuore mi si sollevava in modo cattivo: era diventato di pietra. Fino a notte non mos-

si le sopracciglia e non aprii le labbra, di tanto in tanto
camminavo in su e in giù, stringevo con la mano il coltello che in tasca si era scaldato e mi preparavo in tempo a qualcosa di spaventoso. Queste nuove sensazioni,
mai provate mi occupavano e mi rallegravano persino a
tal punto che pensai addirittura poco a Zinaida. Mi
compariva alla mente di continuo Aleko,[25] il giovane tzigano. «Dove vai, bel giovane? Resta...», e poi: «Sei tutto
sporco di sangue!... Oh, che cosa hai fatto?...» Con quale feroce sorriso ripetevo questo «nulla». Mio padre non
era in casa; ma la mamma, che da qualche tempo si trovava in una situazione di una quasi continua sorda irritazione, rivolgeva l'attenzione al mio aspetto fatale e mi
disse a cena: – Perché continui a soffiare, come un topo
nel grano? – Mi limitai a sorridere con indulgenza e
pensai: «Se sapessero!». Batterono le undici; andai nella
mia stanza ma non mi spogliai, e rimasi in attesa della
mezzanotte. Quando finalmente la sentii suonare, mor-
morai «È l'ora» e, dopo essermi abbottonato tutto, mi
rimboccai persino le maniche. E andai in giardino.

Già da prima mi ero scelto il posto di osservazione.
Alla fine del giardino, dove c'era la palizzata che divide-
va i nostri possedimenti da quelli delle Zasekin, mi appoggiai al muro comune dove era cresciuto un solitario
abete. Sotto i suoi rami bassi, fronzuti, potevo vedere bene, per quanto lo permetteva la tenebra notturna, quello
che avveniva lì intorno; lì serpeggiava una stradettina
che mi era sempre sembrata misteriosa: come un serpente passava sotto la palizzata, e in quel luogo mostrava le
tracce di piedi che l'avevano attraversata, e che portava
a una pergola di fitte acacie. Arrivai fino all'abete e, appoggiato al suo tronco, cominciai a fare la guardia.

La notte era silenziosa come quella precedente, ma
in cielo c'erano meno nubi e le forme dei cespugli, per-

[25] *Aleko*: il protagonista del poema di Puškin, *Gli zingari*.

sino dei fiori più alti, si distinguevano più chiaramente.
I primi momenti di attesa furono angosciosi, quasi spaventosi. Ero deciso a tutto, pensavo soltanto: come?
Gridare: «Dove vai? Fermati! Fatti riconoscere o è la
morte!»[26] oppure semplicemente colpirlo... Ogni suono, ogni sussurro o fruscio mi sembrava significativo,
insolito... Mi preparavo... Mi chinai in avanti... Ma passò mezz'ora, passò un'ora; il mio sangue sembrava fermo, freddo; la coscienza che quello che facevo era inutile, che ero persino un po' ridicolo, che Malevskij mi
aveva preso in giro cominciò a farsi sentire dentro di
me. Abbandonai la palizzata e feci il giro di tutto il
giardino. Quasi a farlo apposta, non si sentiva il più
piccolo rumore; tutto era calmo; anche il nostro cane
dormiva, tutto raggomitolato presso il cancelletto. Salii
sulla rovina della serra, vedendo davanti a me il campo
lontano, ricordai l'incontro con Zinaida e mi misi a
pensare...

Sussultai... Sentii lo scricchiolio di una porta che si
apriva, poi il rumore di un rametto spezzato. In due
balzi saltai giù dalla serra e mi fermai sul posto. Nel
giardino echeggiavano chiaramente dei passi rapidi,
leggeri ma cauti. Si avvicinavano a me. «Eccolo, eccolo
finalmente!» mi galoppò nel cuore. Come in delirio
estrassi il coltello dalla tasca, con delirio lo aprii, quali
scintille rosse mi vennero agli occhi, per la paura e la
rabbia mi si mossero i capelli in testa... I passi si dirigevano proprio verso di me, io mi piegai, mi tesi incontro
a lui... Si mostrò un uomo... Dio mio! Era mio padre![27]

---

[26] Il racconto di Turgenev è intenso anche per la grande varietà
delle informazioni. Qui è presente un'increspatura umoristica. Del
resto un sottile umorismo, affettuoso, da parte dell'autore, ovviamente, non del narratore protagonista, accompagna gran parte della
vicenda di Volodja.

[27] Anche qui, all'angoscia adolescenziale di Volodja, si accompagna, per virtù di stile, l'humour di Turgenev, che prende pure in giro
la prosa dei feuilletons.

Lo riconobbi subito, benché fosse tutto avvolto in un mantello scuro e tenesse il cappello tirato sulla faccia. Mi passò accanto in punta di piedi. Non mi vide, benché nulla mi nascondesse, ma io mi ero talmente raggomitolato e schiacciato che, pareva, mi ero confuso con la terra. L'Otello geloso, pronto all'omicidio, si era trasformato di colpo in uno scolaretto... Mi ero talmente spaventato per l'inattesa comparsa di mio padre che, dapprima, non notai donde venisse e dove sparisse. Solo allora mi raddrizzai e pensai «Ma perché mio padre cammina di notte nel giardino?», quando tutto di nuovo si calmò, intorno. Con spavento lasciai cadere il coltello nell'erba e non mi misi neppure a cercarlo. Provavo molta vergogna. Di colpo rinsavii. Nel tornare a casa, tuttavia, mi avvicinai alla mia panchetta, sotto il sambuco, e guardai la finestrina della camera da letto di Zinaida. I vetri, piccoli, un po' ricurvi, del finestrino avevano dei foschi riflessi azzurrini alla luce debole che proveniva dal cielo notturno. A un tratto il loro colore cominciò a mutare... Dietro ai vetri, e questo lo vedevo con grande chiarezza, cautamente, piano, si abbassava una tenda biancastra, scese fino al davanzale, e là rimase immobile.

– Ma che è questo? – dissi ad alta voce, quasi involontariamente, quando mi trovai di nuovo nella mia stanza. – Un sogno, un caso, oppure... – Le supposizioni che all'improvviso mi vennero in mente erano così nuove e strane che non osai neppure abbandonarmi a esse.[28]

---

[28] Il nostro povero Vol'demar era un po' lento di comprendonio, e poi la passione lo accecava. Inoltre mai avrebbe sospettato, se non fosse stato poi costretto a vedere con i suoi occhi la realtà, della relazione tra quei due suoi idoli, Zinaida e suo padre. Del resto le «supposizioni» costituiscono un aspetto del ritmo stilistico di Turgenev in questo racconto.

XVIII

Il mattino mi alzai con il mal di testa. L'agitazione del giorno precedente era scomparsa. Era stata sostituita da una greve perplessità e da una tristezza prima mai provata, come se qualcosa fosse morto dentro di me.

– Perché state lì a guardare come un coniglio al quale abbiano tolto metà del cervello? – mi disse Lušin, che mi incontrò.

A colazione guardai furtivamente ora mio padre, ora mia madre; mio padre era tranquillo, come al solito; mia madre, come al solito, era segretamente irritata. Aspettavo che mio padre mi parlasse amichevolmente, come talvolta succedeva... Ma egli non mi accarezzò neppure, con la sua solita, fredda carezza. «Devo dire tutto a Zinaida? – pensai. – Perché tanto, ora, tutto è lo stesso, perché tutto tra di noi è finito.» Mi avviai da lei, ma non solo non le raccontai niente, non mi fu neppure possibile conversare con lei, come avrei voluto. Dalla principessa era venuto per una vacanza suo figlio, cadetto, di circa dodici anni. Era venuto da Pietroburgo. Zinaida mi presentò subito suo fratello.

– Eccovi, – disse, – il mio caro Volodja (per la prima volta mi chiamò così), un mio compagno. Anche lui si chiama Volodja. Per favore, voletegli bene. È ancora selvatico, ma il suo cuore è buono. Mostrategli il Neskučnyj, passeggiate con lui, tenetelo sotto la vostra protezione. Lo farete, nevvero? Anche voi siete così buono!

Mi mise carezzevolmente le due mani sulle spalle, e io mi persi completamente. L'arrivo di questo ragazzino aveva trasformato me stesso in un ragazzino. Guardai in silenzio il cadetto, che pure, in silenzio, mi fissava. Zinaida si mise a ridere e ci spinse l'uno verso l'altro:

– Su, abbracciatevi, bambini!

Ci abbracciammo.

– Volete che vi porti in giardino? – chiesi al cadetto.

– Grazie, – rispose lui, con voce roca, proprio da cadetto.

Zinaida si mise di nuovo a ridere... Riuscii a notare che sul suo volto non c'erano mai stati dei colori così belli. Io e il cadetto uscimmo. Nel nostro giardino c'era una vecchia altalena. Lo sistemai sulla sottile asticella e cominciai a dondolarlo. Egli se ne stava seduto immobile, nella sua divisa nuova di grosso panno, con grandi galloni dorati, e si teneva forte alle corde.

– Sarebbe meglio che vi sbottonaste il colletto, – gli dissi.

– Non fa niente, ci sono abituato, – disse, e tossì.

Assomigliava a sua sorella. Specialmente gli occhi ricordavano lei. Mi era anche piacevole stargli vicino, aiutarlo, e nello stesso tempo la tristezza che sentivo dentro mi doleva, mi rodeva il cuore. «Ora sono proprio un bambino, – pensai – e ieri...» Ricordai dove, la vigilia, avevo lasciato cadere il coltello, e lo cercai. Il cadetto me lo chiese, strappò un grosso stelo di canna, intagliò uno zufolo, e si mise a zufolare. E anch'io, Otello, mi misi a zufolare.

Ma la sera come pianse, questo stesso Otello, tra le braccia di Zinaida, quando, avendolo trovato in un angolo del giardino, gli chiese perché fosse così triste. Le mie lacrime sgorgarono con tale forza, che lei si spaventò.

– Che avete? Che avete, Volodja? – mi chiese e, vedendo che io non rispondevo e non smettevo di piangere, pensò di baciare la mia guancia bagnata.

Ma io mi ritrassi e sussurrai tra i singhiozzi:

– So tutto: perché vi siete presa gioco di me?... Per che cosa vi era necessario il mio amore?

– Sono colpevole davanti a voi, Volodja – disse Zinaida, – molto colpevole, – aggiunse, stringendo le mani. – Quanto c'è in me di cattivo, di oscuro, di peccaminoso... Ma ora non mi prendo gioco di voi, vi amo, e voi non sospetterete perché e come... Ma, lo sapete?

Che cosa potevo dirle? Stava davanti a me e mi guardava, e io le appartenevo tutto, dalla testa ai piedi, quando lei mi guardava... Un quarto d'oro dopo io correvo con il cadetto e Zinaida: ci inseguivamo; non piangevo, ridevo, anche se le mie palpebre, gonfie per il riso lasciavano cadere lacrime; al collo, invece della cravatta, tenevo legato il nastro di Zinaida, e gridavo per la gioia, quando riuscivo ad afferrarla alla vita. Lei faceva con me tutto quello che voleva.

Mi sarei trovato in grande difficoltà se mi avessero costretto a raccontare nei particolari quello che mi accadde nella settimana successiva alla mia infausta spedizione notturna. Fu un tempo strano, febbrile, una specie di caos, in cui i sentimenti, i pensieri, i sospetti, le speranze, le gioie e le sofferenze più contraddittorie giravano come un vortice; avevo paura a guardare in me stesso, posto che un ragazzo di sedici anni sia capace di guardare in se stesso, temevo di dare a me stesso un rendiconto qualsivoglia; mi affrettavo semplicemente a vivere il giorno fino a sera; poi, di notte, dormivo... mi aiutava la sconsideratezza infantile. Non volevo sapere se lei mi amava, e non volevo riconoscere a me stesso che lei non mi amava; evitavo mio padre, ma sfuggire a Zinaida non potevo... In sua presenza mi sentivo bruciare come da un fuoco, fuoco in cui ardevo e mi scioglievo: la mia beatitudine era proprio quella di ardere e di sciogliermi. Mi abbandonavo a tutte le mie impressioni e facevo il furbo con me stesso: rifiutavo i ricordi e chiudevo gli occhi di fronte a quello che mi aspettava... Questo tormento, certamente, non si sarebbe prolungato... un colpo terribile di colpo mise termine a tutto e mi buttò in una nuova rotaia.

Tornato un giorno per il pranzo, dopo una passeggiata abbastanza lunga, seppi con stupore che avrei pranzato solo, perché mio padre non c'era e mia madre non si sentiva bene, non voleva pranzare e si era chiusa nella sua camera. Dalla faccia dei servi indovinai che era accaduto qualcosa di insolito... Non osai interrogarli, ma avevo un amico, un giovane dispensiere, Filipp, che amava molto le poesie ed era un artista nel suonare la chitarra: mi rivolsi a lui. E da lui seppi che tra papà e mamma era avvenuta una scenata terribile (nella stanza della servitù la si poté udire parola per parola; molte cose vennero dette in francese, ma la cameriera Maša era vissuta da una sarta a Parigi, e capiva tutto); la mamma rimproverava mio padre di essere infedele, di frequentare la signorina vicina, e mio padre in un momento cercò di giustificarsi, poi scoppiò e a sua volta disse qualcosa di crudele, «sui loro anni», per cui la mamma si mise a piangere; mia madre gli ricordò anche la cambiale della vecchia principessa, e di nuovo si espresse sulla signorina, in modo così negativo, che mio padre la minacciò.

– E tutto il guaio derivò, – continuò Filipp, – da una lettera anonima: nessuno sa chi l'ha scritta; e non c'è nessun motivo che queste cose si sappiano fuori.

– Ma c'è stato davvero qualcosa? – chiesi io, mentre sentivo freddo alle braccia e alle gambe, e mi sentivo tremare nella profondità del petto.

Filipp ammiccò significativamente.

– Sì: queste cose non le nascondi mica. Benché vostro padre questa volta sia stato molto prudente, ma, si capisce, occorreva chiamare una carrozza, oppure là... senza qualcuno che aiuti non puoi.

Congedai Filipp e caddi sul letto. Non singhiozzai, non mi abbandonai alla disperazione; non mi chiesi quando e come questo sia potuto accadere; non mi stupii, come mai prima io non me ne ero accorto, non imprecai, persino, neppure contro mio padre... Quello che avevo sentito andava oltre le mie forze: quella improvvisa rivelazione mi aveva schiacciato... Tutto era finito. Tutti i miei fiori erano stati strappati e dispersi, e giacevano intorno a me, sparpagliati e calpestati.

XX

La mamma il giorno dopo dichiarò che si sarebbe trasferita in città. Mio padre quel mattino entrò da lei, nella sua camera e a lungo stette con lei, loro due soli. Nessuno sentì quello che le disse, ma la mamma non pianse più; si calmò e chiese la colazione, tuttavia non si fece vedere e non cambiò la sua decisione. Ricordo che errai tutto il giorno, ma in giardino non ci andai, e non guardai neppure una volta alla finestra della dipendenza, e la sera fui testimone di una scena straordinaria: mio padre condusse il conte Malevskij tenendolo per il braccio, attraverso la sala e l'anticamera e, in presenza di un cameriere, gli disse freddamente: – Alcuni giorni fa mostrarono a sua eccellenza la porta, in una casa; e ora io non voglio avere spiegazioni con voi, ma ho l'onore di ricordarvi che se ancora una volta vi farete vedere da me, io vi butterò fuori dalla finestra. La vostra calligrafia non mi piace –. Il conte salutò, strinse le labbra, si raggricchiò, e sparì.

Ebbero inizio i preparativi per il trasferimento in città, sulla via Arbat, dove avevamo una casa. Lo stesso mio padre, verosimilmente, non voleva più rimanere nella dacia; ma, si vedeva, era riuscito a convincere mia madre a non fare storie. Tutto avvenne silenziosamente, senza fretta, la mamma ordinò persino di salutare la principessa e di dichiararle che, purtroppo; per le condizioni di salute, non poteva vederla prima della partenza. Io vagavo come un matto e desideravo una sola co-

sa, che tutto questo finisse presto. Un pensiero non mi
usciva dalla testa: come aveva potuto lei, una ragazza
giovane, e, dopo tutto, una principessina, decidersi a un
tale atto, sapendo che mio padre non era libero, e avendo la possibilità di sposare, poniamo, Belovzorov? In
che cosa sperava? Come non aveva temuto di rovinare
tutto il suo futuro? «Sì, – pensavo – questo è l'amore, la
passione, la dedizione...» E ricordai le parole di Lušin:
sacrificarsi è dolce per gli altri. In qualche modo mi accadde di vedere a una delle finestre della dipendenza
una macchia pallida... «È forse il volto di Zinaida?»
pensai... Sì, era proprio il suo volto. Non resistetti. Non
potevo staccarmi da lei senza darle un ultimo saluto.
Colsi il momento opportuno e mi avviai da lei.

Nel salotto la principessa mi accolse con il solito saluto, non amichevole, sciatto.

– E allora, batjuška, che razza di scompiglio in casa
vostra? – mi disse, ficcandosi il tabacco nelle due narici.

La guardai, e mi sentii allargare il cuore. La cambiale, di cui mi aveva parlato Filipp, mi turbava... Lei non
sospettava di nulla... o almeno così mi parve, allora. Zinaida uscì dalla camera accanto, vestita di nero, pallida, con i capelli sciolti; in silenzio mi prese per la mano
e mi portò nella sua stanza.

– Ho sentito la vostra voce e sono uscita subito. Vi è
così facile lasciarci, anche a voi, cattivo ragazzo?

– Sono venuto per salutarvi, principessina, – dissi,
– forse per sempre. Avete sentito che noi partiamo.

Zinaida mi guardò attentamente.

– Sì, l'ho sentito. Grazie di essere venuto. Pensavo,
oramai, che non vi avrei più rivisto. Non abbiate un
cattivo ricordo di me. Un tempo io vi ho tormentato;
ma io non sono quella che voi credete.

Si voltò e si appoggiò alla finestra.

– Sì, non sono così. So che avete di me una cattiva
opinione.

– Io?

– Sì, voi... voi.

– Io? – ripetei con amarezza, e il cuore mi tremava come prima, per il suo fascino invincibile, inesprimibile. – Io? Credetemi, Zinaida Aleksandrovna, qualunque cosa voi abbiate fatto, in qualunque modo mi abbiate tormentato, io vi amerò e vi venererò fino alla fine dei miei giorni.

Zinaida si voltò rapidamente e, allargando le braccia, abbracciò la mia testa, e mi baciò, con forza e ardore. Dio sa chi cercava con quel lungo bacio d'addio, ma io ne gustai avidamente la dolcezza. Sapevo che non si sarebbe mai più ripetuto.

– Addio, addio, – ripetei.

Ella si scosse e uscì. E anch'io mi allontanai. Non so esprimere il sentimento che provai nell'allontanarmi. Non avrei desiderato che questo sentimento si ripetesse, in qualche modo; ma mi sarei considerato infelice, se non l'avessi provato.

Ci trasferimmo in città. Non subito lasciai il passato, non subito mi misi al lavoro. La mia ferita lentamente si rimarginò; ma non provavo nessun sentimento ostile contro mio padre. Al contrario: in un certo qual modo crebbe ai miei occhi... Che gli psicologi spieghino questa contraddizione come sanno. Una volta mentre camminavo per un boulevard mi imbattei, con mia gioia, in Lušin. Lo amavo per il suo carattere retto e non ipocrita, inoltre mi era caro per i ricordi che suscitava in me. Mi gettai verso di lui.

– Ah! – disse lui, aggrottando le sopracciglia. – Siete voi, giovanotto! Fatevi vedere. Siete ancora un po' giallo, ma negli occhi non c'è più la follia di prima. Avete l'aspetto di un uomo, e non quello di un cagnolino da salotto. E questo è bene. Che cosa fate? Lavorate?

Io sospirai. Non volevo mentire, e avevo vergogna a dire la verità.

– Fa niente, – continuò Lušin, – non siate timido. La cosa importante è vivere normalmente e non abbandonarsi alle passioni. E che utilità c'è? Dovunque l'onda vi porti, è sempre brutto. L'uomo deve stare su una pietra e sulle sue gambe. Ecco che tossisco... E Belovzorov, avete sentito?

– No, che cosa gli è successo?

– Sparito senza notizie. È andato al Caucaso. È una lezione per voi, giovanotto. E tutto il problema sta qui, che non riescono a staccarsi in tempo, a strappare le reti. Ecco, voi, mi pare, ne siete saltato fuori felicemente. Fate attenzione a non ricadere di nuovo. Addio.

«Non ci cadrò più... – pensavo, – non la vedrò più.» Eppure era destino che rivedessi ancora una volta Zinaida.

XXI

Mio padre, ogni giorno, usciva a cavallo; possedeva un bellissimo leardo brinato inglese, dal collo lungo e sottile, con le zampe lunghe, instancabile e cattivo. Si chiamava Elektrik. Oltre a mio padre, nessuno poteva cavalcarlo. Una volta egli si avvicinò a me con buona disposizione di spirito, cosa che gli capitava raramente; si preparava a uscire e si era già messo gli speroni. Gli chiesi di portarmi con sé.

– È meglio che giochiamo al salto, perché tu, col tuo «klepper»,[29] non riusciresti a starmi dietro.

– Cercherò, mi metto anch'io gli speroni.

– Dai, allora.

Ci avviammo. Il mio cavallo era morello, dalla lunga criniera, forte sulle zampe e abbastanza vivace; in verità gli piaceva galoppare a tutta velocità, mentre Elektrik camminava al pieno trotto, ma io, tuttavia, non rimanevo indietro. Non avevo mai visto un cavaliere come mio padre; egli sedeva in sella in modo così grazioso e noncurante che sembrava che il cavallo lo sentisse e ne fosse orgoglioso. Cavalcammo per tutti i viali, arrivammo al Devič'e Pole, saltammo attraverso alcune palizzate (dapprima io avevo paura a saltare, ma mio padre disprezzava i paurosi, e così smisi di aver paura), attraversammo due volte la Moscova, e io

---

[29] *klepper*: parola tedesca che indica una particolare razza di cavalli.

già pensavo che saremmo ritornati a casa, tanto più
che mio padre osservò che il mio cavallo era stanco,
quando a un tratto egli svoltò dalla parte del Guado di
Crimea e si mise a galoppare lungo la sponda. Passam-
mo vicino a una catasta di vecchie travi ammucchiate,
egli destramente le superò con un salto del suo Elektrik e, affidatemi le redini del suo cavallo, mi disse di
aspettarlo lì, presso le travi, svoltò in un piccolo vicolo
e sparì. Io mi misi a camminare in su e in giù lungo la
riva, conducendo il mio cavallo, e rimproverando
Elektrik, che, camminando, scuoteva la testa, fremeva,
sbuffava, nitriva, e quando io mi fermavo, scavava la
terra, con gli zoccoli, a volte, sbuffando mordeva il mio
cavallo al collo, in una parola si comportava come un
viziato *pur sang*. Mio padre non ritornava. Dal fiume
saliva un'umidità spiacevole; una fine pioggerella
scendeva piano e macchiava con piccole macchie oscure quelle stupide travi che mi erano venute a noia, e
vicino alle quali io andavo in su e in giù. Un poliziotto
«čuchonec»,[30] con un vecchio chepì in testa, in forma
di vaso, e con l'alabarda (perché poi un poliziotto si
doveva trovare proprio lì, sulla riva della Moscova) si
avvicinò a me e, con il suo volto rugoso, dalle guance
vecchie, mi chiese:

– Che cosa fate qui con i cavalli, signorino? Vi aiu-
terò a tenerli.

Non gli risposi; mi chiese del tabacco. Per liberarmi
di lui (tanto mi tormentava l'impazienza) feci qualche
passo nella direzione verso la quale si era diretto mio
padre; poi attraversai la viuzza, svoltai l'angolo e mi
fermai. Sulla strada, a una quarantina di passi da me,
davanti alla finestra aperta di una casa di legno con la
schiena verso di me, stava mio padre: si appoggiava col
petto al davanzale, e nella casetta, nascosta fino a metà

---

[30] *čuchonec*: persona di origine finnica.

dalla tendina, stava una donna con un abito nero, che parlava con mio padre. Questa donna era Zinaida.

Rimasi di stucco. Non me lo ero proprio aspettato. Il mio primo impulso fu di fuggire. «Mio padre mi vedrà e io sono perduto,» pensai. Ma uno strano sentimento, un sentimento più forte della curiosità, più forte persino della gelosia, più forte del timore, mi fermò. Pareva che mio padre insistesse su qualcosa. Zinaida non era d'accordo. Vedo ancora il suo volto, triste, serio, bello, con una espressione indescrivibile di devozione, di tristezza, di amore e di non so quale disperazione: non trovo altre parole. Ella pronunciava delle parole di una sola sillaba, senza alzare gli occhi, sorrideva solo, docile e ostinata. Da quel solo sorriso io riconobbi la mia Zinaida. Mio padre alzò le spalle e si sistemò il cappello sulla testa, il che era sempre in lui segno di impazienza... Poi si sentirono le parole: «*Vous devez vous séparer de cette...*». Zinaida si raddrizzò e tese una mano... A un tratto davanti ai miei occhi avvenne una cosa incredibile: mio padre improvvisamente alzò il frustino, con il quale aveva scosso la polvere dalle falde del suo soprabito, e io sentii un forte colpo sul braccio di Zinaida, nudo fino al gomito. Mi trattenni appena, e riuscii a non gridare, Zinaida sussultò, guardò in silenzio mio padre e accostò piano il braccio fino alle labbra, e baciò l'orma rossa che vi era stata impressa. Mio padre scagliò lontano il frustino e, salendo di corsa sui gradini del pianerottolo, si precipitò in casa... Zinaida si voltò e con le braccia tese, con la testa rovesciata indietro, si allontanò pure dalla finestra.

Con una stretta al cuore per la paura, con un non so quale spavento e perplessità, corsi indietro e, dopo aver attraversato il vicolo, quasi con il pericolo di lasciarmi indietro Elektrik, tornai sulla riva del fiume. Non potevo raccapezzarmi. Sapevo che mio padre, uomo freddo e controllato, aveva ogni tanto degli impeti di furia, e tuttavia non potevo in nessun modo capire quello che avevo visto. Ma, in quel momento, sentii che, per tutta la mia vita, sarebbe stato per me impossibile dimenticare quel movimento, lo sguardo di Zinaida, quell'immagine di lui nuova, che mi si presentò improvvisamente, che si stampò per sempre nella mia memoria. Guardavo insensatamente il fiume senza accorgermi che le lacrime mi sgorgavano dagli occhi: «La picchiano, – pensavo, – la picchiano, la picchiano...».

– E allora? Dammi il cavallo! – echeggiò dietro a me la voce di mio padre.

Macchinalmente gli tesi le redini. Egli saltò su Elektrik... Il cavallo, che aveva preso freddo, si impennò e saltò avanti per una *sažena* e mezza... Ma presto mio padre lo acquietò; gli ficcò gli speroni nei fianchi e lo colpì al collo con il pugno... – Eh, non ho più il frustino, – borbottò.

Io ricordai il fischio di poco prima e il colpo di quel frustino e sussultai.

– Dove l'hai ficcato? – chiesi a mio padre dopo un po'.

Mio padre non mi rispose, ma galoppò avanti. Lo raggiunsi. Dovevo assolutamente vedere la sua faccia.

– Ti sei annoiato senza di me? – disse lui, tra i denti.

– Un poco. Ma dove hai cacciato il frustino? – gli chiesi di nuovo.

Mi diede un rapido sguardo.

– Non l'ho lasciato cadere, l'ho buttato via.

Si mise a pensare e abbassò la testa... E qui per la prima volta e certo forse per l'ultima, vidi quanta tenerezza e compassione potevano esprimere i suoi lineamenti severi.

Di nuovo galoppò avanti, e io non lo potei raggiungere; arrivai a casa un quarto d'ora dopo di lui.

«Questo è l'amore, – dicevo a me stesso, sedendo di notte davanti alla mia scrivania, sulla quale oramai erano riapparsi libri e quaderni, – questa è la passione!... Come non sdegnarsi, come sopportare il colpo, da qualunque mano, proprio dalla mano amata... E io... questo lo immaginavo...»

L'ultimo mese mi maturò molto, e il mio amore, con tutte le sue emozioni e le sue sofferenze, parve a me stesso così piccolo, così infantile, così misero davanti a quell'altro sentimento ignoto, che appena potevo capire, che mi spaventava, come un volto sconosciuto, bello ma minaccioso che invano ti sforzi di guardare nella penombra...

Quella stessa notte feci un sogno strano e spaventoso. Mi parve di entrare in una camera oscura e bassa... Mio padre stava con il frustino in mano e picchiava i piedi; in un angolo Zinaida si stringeva, e non sul braccio, ma sulla sua fronte compare la striscia rossa... E dietro a loro si alzava, tutto insanguinato, Belovzorov, apriva le pallide labbra e minacciava mio padre.

Due mesi dopo entrai all'università, e un anno e mezzo dopo mio padre morì (per un colpo), a Pietroburgo, dove si era appena trasferito con mia madre e con me. Qualche giorno prima della sua morte aveva ricevuto una lettera da Mosca, che lo agitò straordinariamente. Andò per chiedere qualcosa alla mamma e, nel parlare, si mise persino a piangere. Mio padre! Il mattino stesso del giorno in cui ebbe il colpo, aveva cominciato a scrivere una lettera in francese a me. «Figlio mio, – scriveva, – temi l'amore femminile, temi questa felicità, questo veleno...» La mamma, dopo la sua morte, mandò a Mosca una considerevole somma di denaro.

XXII

Passarono quattro anni. Ero appena uscito dall'università e non sapevo bene che cosa fare, a quale porta bussare: vagavo ancora senza meta. Una bella sera, a teatro, incontrai Majdanov. Era riuscito a sposarsi e a entrare in servizio: ma non lo trovai cambiato. Come prima si entusiasmava per nulla e a un tratto si perdeva d'animo.

– Certo lo sapete, – mi disse, – fra l'altro, la signora Dol'skaja è qui.

– Quale signora Dol'skaja?

– Ve ne siete dimenticato? Quella che era la principessina Zasekina, della quale eravamo tutti innamorati, e anche voi.

–Ha sposato Dol'skij?

– Sì.

– Ed è qui, a teatro?

– No, a Pietroburgo. È arrivata pochi giorni fa. Sta per partire per l'estero.

– Che uomo è suo marito?

– Una persona in gamba, benestante. È mio compagno di servizio a Mosca. Voi capite, dopo quella storia... vi è certamente nota (Majdanov sorrise significativamente)... non le fu tanto facile trovarsi un marito; ci furono delle conseguenze... ma con la sua intelligenza tutto è stato possibile. Andate da lei, sarà contenta di rivedervi. È diventata ancora più bella.

Majdanov mi dette l'indirizzo di Zinaida. Stava all'hotel Demut. Mi riaffiorano vecchi ricordi... mi pro-

misi di andare subito il giorno dopo a trovare la mia
vecchia «passione». Ma sopraggiunsero delle faccende
e passò una settimana, poi un'altra, e quando io, finalmente, mi recai all'hotel Demut e chiesi della signora
Dol'skaja, seppi che era morta, a causa del parto.

Sentii come un colpo al cuore. Il pensiero che avrei potuto vederla, e che non l'avevo vista e che non l'avrei vista mai più, questo pensiero mi si ficcò in testa con la forza di un rimprovero senza giustificazioni. «Morta!» ripetei, guardando ottusamente il portiere, poi uscii piano in
strada e mi avviai, senza sapere dove andassi. Tutto il passato, di colpo, divampò, mi si presentò davanti. Ed ecco
lo scioglimento, ecco ciò verso cui, con fretta, con emozione, correva questa giovane vita, brillante, ardente!
Pensavo questo, e mi raffiguravo quei cari lineamenti,
quegli occhi, quei riccioli, me li raffiguravo dentro un'u-
mida cassa, sotto terra, là, non lontano da me, che ero ancora vivo, e, forse, a pochi passi da mio padre... Pensavo
tutto questo, con l'immaginazione tesa, e intanto:

Da labbra indifferenti ebbi l'annuncio di morte,
E, indifferente, lo accolsi,[31]

mi risuonava nell'anima. O giovinezza, giovinezza!
Non hai a che fare con questo, tu, è come se possedessi
tutti i tesori della terra, anche la tristezza ti consola,
persino il dolore tu lo affronti, sicura di te e ardita, tu
dici: io sola vivo, osservate! e i tuoi giorni corrono e
spariscono senza traccia e senza numero... E forse, tutto il mistero del tuo fascino sta non nella possibilità di
fare tutto, ma nella possibilità di pensare che potrai fare tutto, consiste proprio nel fatto che tu lanci al vento
le forze che non avresti saputo usare per niente altro,
nel fatto che ciascuno di noi senza scherzare si ritiene

[31] Dalla lirica di Puškin «Sotto il cielo azzurro del mio paese nati-
vo» («Pod nebom golubym strany svoej rodnoj»), che è del 1825.

un dissipatore, senza scherzare suppone di avere il diritto di dire: «Oh, che cosa avrei fatto, se non avessi perduto invano il tempo!».

Ecco... ciò che speravo, che mi attendevo, quale ricco futuro prevedevo, quando era appena passato in un sospiro, in una malinconica sensazione il fantasma sorto per un attimo del mio primo amore?

E che cosa si era avverato di tutto quello che avevo sperato? E ora, quando già sulla mia vita cominciano ad apparire le ombre della sera, che mi è rimasto di più fresco, di più caro, del ricordo di quel temporale di primavera, temporale mattutino, così rapidamente volato via?

Ma inutilmente mi voglio calunniare. Anche allora, in quel tempo giovanile dai lievi pensieri non rimasi sordo alla voce triste che mi chiamava, al suono solenne che veniva fino a me dalla tomba. Mi ricordo che, qualche giorno dopo che ebbi saputo della morte di Zinaida, per un impulso irresistibile, assistetti alla morte di una povera vecchietta che viveva nella nostra stessa casa. Coperta di stracci, su dure assi, con un sacco sotto la testa, morì in modo difficile e greve. Tutta la sua vita era trascorsa in una lotta amara con il bisogno quotidiano; non aveva conosciuto gioie, non aveva mai gustato il miele della felicità, come non poteva rallegrarsi della morte, sua libertà, sua pace? Eppure, mentre il suo decrepito corpo resisteva, mentre il suo petto respirava tormentosamente sotto la mano di ghiaccio che vi era posata, mentre non la abbandonavano ancora le sue ultime forze, la vecchia continuava a farsi il segno della croce, a bisbigliare sempre: «Signore, rimettimi i miei peccati», e solo con l'ultima scintilla di coscienza scomparve dai suoi occhi l'espressione di paura e terrore della morte. E ricordo che lì, presso il letto funebre di quella povera vecchia, provai terrore per Zinaida, e avrei voluto pregare per lei, per mio padre, e per me stesso.

FINALE AGGIUNTO ALL'EDIZIONE FRANCESE
DI *PRIMO AMORE*

Vladimir Petrovič tacque e abbassò la testa, come in attesa di una parola. Ma [nessuno] né Sergej Nikolaevič, né il padrone di casa, interruppe il silenzio, e lui stesso non alzò gli occhi dal suo quaderno.

– Sembra, signori, – cominciò alla fine con un goffo sorriso, – che la mia confessione a voi [non sia piaciuta] vi abbia annoiato?

– No, – obiettò Sergej Nikolaevič, – ma...

– Che vuol dire «ma»?

– Così... Vorrei dire che viviamo in uno strano tempo, e siamo gente strana.

– Perché?

– Siamo gente strana, – ripeté Sergej Nikolaevič. – Non avete aggiunto nulla alla vostra confessione?

– Nulla.

– Hum. Del resto, questo è notevole. Mi sembra che, nella sola Russia...

– Sia possibile una simile storia! – lo interruppe Vladimir Petrovič.

– Un simile racconto è possibile.

Vladimir Petrovič tacque un poco. – E [qual è il vostro pensiero?] che cosa pensate? – chiese, rivolgendosi al padrone di casa.

– Sono d'accordo con Sergej Nikolaevič, – rispose, pure lui senza sollevare la testa. – Ma non spaventatevi, noi non vogliamo dire con questo, che voi siete una persona cattiva, al contrario. Vogliamo dire che le con-

dizioni di vita in cui voi siete stato educato e siete cresciuto, si sono attuate in modo particolare, diverso e
nuovo, che difficilmente si potrà ripetere. Abbiamo
provato disagio per il vostro racconto, semplice e senza artifici... non perché ci abbia colpito per la sua immoralità, qui c'è qualcosa di più profondo e di più
oscuro di una semplice immoralità. Propriamente, voi
non siete per nulla colpevole, ma si sente una certa
quale colpa comune, popolare [un qualche cosa] una
certa cosa simile a un delitto. [Voi, sono sicuro, non vi
offenderete e non prenderete queste parole per una
frase... ma]

– Che esagerazione! – osservò Vladimir Petrovič.

– Forse. Ma io cito l'Amleto: «c'è qualcosa di marcio
nel regno di Danimarca». Speriamo però che ai nostri
figli non tocchi di raccontare in questo modo la propria giovinezza.

– Sì, – disse pensieroso Vladimir Petrovič. – [Se sol-
tanto] Questo dipenderà da ciò di cui sarà ricolma questa giovinezza.

– Speriamo, – ripeté il padrone di casa, e gli ospiti si
lasciarono in silenzio.[32]

---

[32] Il testo russo di questa aggiunta si trova nel manoscritto di minuta. L'aggiunta comparve nell'edizione francese del 1883. Cfr. Turgenev, *Sočinenija*..., cit., vol. IX, p. 374.

IL CANTO DELL'AMORE TRIONFANTE
(MDXLII)

È dedicato alla memoria di Gustave Flaubert
«Wage Du zu irren und zu träumen!»
(Schiller)[33]

(Osa sbagliare e sognare!)

Ecco quello che io ho potuto leggere in un antico manoscritto italiano.

[33] Citazione tratta da una poesia di Schiller (*Tekla*).

I

Verso la metà del XVI secolo,[34] nella città di Ferrara, che fioriva allora sotto lo scettro dei suoi magnifici duchi, protettori delle arti e della poesia, vivevano due giovani, di nome Fabio e Muzio. Coetanei, parenti prossimi, non si lasciavano quasi mai; un'amicizia del cuore li legava fin dalla prima infanzia... la similarità del destino aveva rafforzato questo legame. Appartenevano entrambi ad antiche famiglie; erano entrambi ricchi, indipendenti, e senza famiglia; i gusti, le inclinazioni erano simili in entrambi.

Muzio si interessava di musica, Fabio di pittura. Tutta Ferrara era orgogliosa di loro, come dei migliori ornamenti della corte, della società e della città. Esternamente, tuttavia, non erano simili, benché entrambi si distinguessero per la loro giovanile bellezza. Fabio era di statura più alta, bianco nel volto e biondo di capelli, e aveva gli occhi azzurri. Muzio, al contrario, aveva il volto scuro, i capelli neri, e nei suoi occhi marrone-scuro non c'era quell'allegro scintillio, e sulle labbra quell'accogliente sorriso, che c'erano in Fabio. Le sue folte sopracciglia pendevano sulle strette palpebre, mentre le sopracciglia dorate formavano sottili semicerchi sulla fronte pura e uniforme di Fabio. Anche nella conversazone Muzio era meno vivace; con tutto questo i

[34] In una prima redazione il racconto incominciava diversamente: «Alla metà degli anni». Poi la data fu precisata e posta come sottotitolo (MDXLII).

due amici piacevano alle dame allo stesso modo, e difatti erano giustamente modelli di cortesia e generosità cavalleresche.

Proprio in quello stesso tempo viveva vicino a loro, a Ferrara, una fanciulla di nome Valeria. La consideravano una delle più belle bellezze della città, benché la si potesse vedere molto di rado, poiché la fanciulla conduceva una vita solitaria, e usciva di casa solo per andare in chiesa, e a passeggio soltanto nelle grandi feste. Viveva con la madre, una vedova nobile, ma povera, che non aveva altri figli.

Valeria suscitava, in chiunque la incontrasse, un sentimento di involontario stupore, e un altrettanto involontario sentimento di tenero rispetto: così modesto era il suo portamento, e così poco, pareva, ella stessa si rendeva conto della forza del suo fascino. Alcuni, in verità, la trovavano un poco pallida; lo sguardo dei suoi occhi, quasi sempre abbassati, esprimeva una certa riservatezza e persino timidezza; le sue labbra sorridevano di rado, e lievemente; la sua voce appena si poteva sentire. Dicevano però che questa voce era bellissima e che, la mattina presto, chiusa nella sua stanza, quando tutto ancora nella città dormiva, ella amava cantare antiche canzoni, al suono del liuto che lei stessa suonava. Nonostante il pallore del volto, Valeria era fiorente di salute; e persino i vecchi, guardandola, non potevano non pensare: «Felice il giovane per il quale sboccerà finalmente questo fiore ancora chiuso nei suoi petali, ancora intatto e verginale!».

II

Fabio e Muzio videro per la prima volta Valeria durante una splendida festa pubblica, organizzata per volontà
del duca di Ferrara, Ercole,[35] figlio della famosa Lucrezia Borgia, in onore di nobili magnati, venuti da Parigi
per invito della duchessa,[36] figlia del re di Francia, Luigi
XII. Accanto alla madre Valeria sedeva nell'elegante
tribuna, costruita su disegno del Palladio[37] nella princi-
pale piazza di Ferrara per le più nobili signore della
città. Entrambi, Fabio e Muzio, se ne innamorano appassionatamente nello stesso giorno; e poiché non si
nascondevano nulla l'uno dell'altro, ciascuno dei due
seppe subito ciò che era avvenuto nel cuore del compagno. E così stabilirono: ciascuno dei due avrebbe cerca-
to di avvicinarsi alla fanciulla e se ella si fosse onorata
di scegliere uno di loro, l'altro, senza protestare, avrebbe accettato questa sua decisione. Alcune settimane dopo, grazie alla buona fama della quale godevano giustamente, ebbero la fortuna di essere ammessi alla casa
della vedova, difficilmente accessibile; ella permise che

[35] Ercole II d'Este (1505-1559) ereditò il ducato nel 1535. Era figlio di Lucrezia Borgia (1480-1519), figlia del papa Alessandro VI, e
sorella di Cesare Borgia. Lucrezia aveva sposato, in terze nozze,
Alfonso I d'Este, padre di Ercole II.
[36] La duchessa era Renée di Francia (1510-1575), che sposò Ercole nel 1528. Fu una grande protettrice delle arti. Ebbe simpatia per i
protestanti e ospitò anche il perseguitato Calvino.
[37] Andrea Palladio (1508-1580) lavorò anche a Ferrara, oltre che
a Venezia e a Vicenza.

le faccessero visita. Da allora essi poterono vedere Valeria quasi ogni giorno e conversare con lei, e ogni giorno di più il fuoco, che si era acceso nei loro cuori, ardeva più forte e più forte. Tuttavia Valeria non manifestava una preferenza a l'uno o all'altro, benché la loro presenza evidentemente le piacesse. Con Muzio si occupava di musica, ma parlava di più con Fabio; con lui era meno timida. Finalmente decisero di conoscere la loro sorte, e inviarono a Valeria una lettera, nella quale le chiedevano di dichiararsi e di dire a chi dei due intendeva dare la sua mano. Valeria mostrò alla madre questa lettera e le spiegò che era pronta a rimanere nubile; ma se la madre avesse detto che era per lei venuto il momento delle nozze, allora avrebbe sposato colui che la madre avrebbe scelto. La rispettabile vedova versò alcune lacrime al pensiero di separarsi dalla amata figlia; ma di rifiutare i fidanzati non c'era motivo: pensava che entrambi fossero degni della mano di sua figlia. In segreto, però, preferiva Fabio, e sospettando che anche a Valeria piacesse di più, glielo indicò. Il giorno dopo Fabio conobbe la sua felicità; e Muzio dovette tenere la parola data e rassegnarsi.

E così fece; ma di essere testimone del trionfo del suo amico, del suo rivale, non ebbe la forza.[38] Immediatamente vendette la maggior parte dei suoi beni e, ottenute così alcune migliaia di ducati, partì per un lontano viaggio in Oriente. Nel salutare Fabio gli disse che non sarebbe tornato prima che le tracce ultime della sua passione fossero scomparse in lui. Fu pesante per Fabio separarsi dall'amico dell'infanzia e della giovinezza… Ma la gioiosa attesa della prossima beatitudine soffocò presto tutte le altre sensazioni – ed egli si dedicò tutto agli entusiasmi dell'amore incoronato.

[38] Già qui si delinea il «senso» della storia interiore di Muzio e si rivela il suo animo.

Presto sposò Valeria e solo allora conobbe tutto il valore del tesoro che gli era stato concesso di possedere. Egli aveva una bellissima villa, circondata da un ombroso giardino, non molto lontano da Ferrara; egli vi si trasferì con la moglie e la madre della moglie. La vita coniugale mostrò in una nuova e affascinante luce tutte le perfezioni di Valeria; Fabio divenne un noto pittore, non più un semplice dilettante, ma un maestro. La madre di Valeria si rallegrava e ringraziava Dio, nel contemplare la coppia felice. Quattro anni passarono, senza che se ne accorgessero, come un sogno beato. Una sola cosa mancava ai giovani sposi, e gli portava amarezza: non avevano figli... Ma la speranza non li lasciava. Alla fine del quarto anno furono visitati da un grande dolore, un vero dolore questa volta: la madre di Valeria morì, dopo una malattia di pochi giorni.

Molte lacrime versò Valeria; per lungo tempo non riuscì ad abituarsi a quella perdita. Passò ancora un anno, la vita di nuovo aveva ripreso i suoi diritti, e scorreva nel solco di prima. Ed ecco che in una bella sera d'estate, senza aver avvertito nessuno, a Ferrara tornò Muzio.

III

In tutti i cinque anni, trascorsi dalla sua partenza, nessuno aveva saputo nulla di lui. Tutte le voci su di lui si erano spente, come se fosse sparito dalla faccia della terra. Quando Fabio incontrò l'amico in una via di Ferrara, per poco non gridò, prima di spavento, poi di gioia, e subito lo invitò nella sua villa. Là, nel giardino, c'era un ampio padiglione, separato. Ed egli propose all'amico di stabilirsi in quel padiglione. Muzio volentieri acconsentì e lo stesso giorno si trasferì colà, insieme con il suo servitore, un malese muto: muto ma non sordo, e persino, a giudicare dalla vivacità del suo sguardo, un uomo molto intelligente... La lingua gli era stata tagliata. Muzio portò con sé decine di bauli, pieni delle più svariate preziosità, raccolte durante i suoi lunghi viaggi. Valeria si rallegrò del ritorno di Muzio; ed egli la salutò con amichevole gaiezza, ma tranquillamente: da tutto si capiva che egli aveva mantenuto la parola data a Fabio. Nel corso di un giorno egli riuscì a sistemarsi nel suo padiglione; trasse, con l'aiuto del malese, le rarità che aveva portato: tappeti, tessuti di seta, abiti di velluto e di broccato, armi, tazze, piatti e coppe, tutte smaltate, oggetti d'oro, d'argento, adorni di perle e di turchesi, scatole intagliate d'ambra e d'avorio, bottiglie sfaccettate, spezie, tabacchi, pelli di belve, piume di uccelli sconosciuti e una moltitudine di altri oggetti, il cui stesso uso pareva misterioso e incomprensibile. Tra queste cose preziose si trovava una ricca collana di

perle, che Muzio aveva avuto dallo scià di Persia per
un servizio grande e misterioso che gli aveva reso; egli
chiese a Valeria il permesso di metterle personalmente
al collo questa collana; la collana pareva pesante e do-
tata di non si sapeva quale strano calore... e così sembrò attaccarsi alla pelle. Verso sera, dopo il pranzo, seduto sul terrazzo della villa, all'ombra degli oleandri e
dei lauri, Muzio cominciò a narrare le sue avventure.
Egli parlò dei paesi lontani da lui veduti, di montagne
oltre le nubi, di deserti senz'acqua, di fiumi simili a ma-
ri; parlò di enormi edifici e templi, di alberi millenari,
di fiori e uccelli dai colori dell'arcobaleno; disse i nomi
delle città e dei popoli visitati... E dai loro nomi spirava
un non so che di fiabesco. Tutto l'Oriente conosceva
Muzio: aveva attraversato la Persia, l'Arabia, dove i cavalli sono i più nobili e belli di tutti gli esseri viventi,
penentrò nelle profondità più profonde dell'India, dove la stirpe umana è simile a piante maestose, raggiun-
se i confini della Cina e del Tibet, dove il dio vivente,
chiamato Dalai Lama, abita sulla terra, in figura di uomo silenzioso dagli occhi stretti. Erano meravigliosi i
suoi racconti! Come incantati Fabio e Valeria lo ascol-
tavano. Propriamente, i lineamenti del volto di Muzio
si erano mutati poco: olivastro fin dall'infanzia, era di-
venuto ancora più scuro, come bruciato sotto i raggi di
un sole più risplendente, gli occhi parevano più profondi di prima, solo questo. Ma l'espressione di questo volto divenne un'altra: più concentrata, solenne, non si
ravvivava, neppure quando ricordava i pericoli ai quali
si esponeva di notte, nelle foreste assordate dalle grida
delle tigri, o di giorno, nelle strade deserte, dove i viaggiatori erano spiati da fanatici che li strangolavano in
onore di una dea di ferro, che esigeva sacrifici umani. E
la voce di Muzio diventava più sorda e monotona; i movimenti delle mani, di tutto il corpo, avevano perso la
scioltezza, propria della stirpe italiana. Con l'aiuto del

servo, il malese servile e agile, egli mostrò ai suoi ospi-
tanti alcuni giochi che gli avevano insegnato dei brami-
ni indiani. Così, per esempio, dopo essersi nascosto dietro una tenda, egli apparve seduto sospeso in aria, con
le gambe sollevate, lievemente appoggiato con la punta delle dita su una canna di bambù posta verticalmen-
te, il che stupì non poco Fabio e spaventò persino Valeria... «Che non sia un mago nero?» le venne di pensare.
Quando egli si accinse a chiamare, zufolando con un
piccolo flauto, dei serpenti addomesticati, che stavano
in una cesta chiusa, quando questi mostrarono, saettan-
do le loro lingue, sotto un variopinto tessuto le loro
oscure testine piatte, Valeria fu presa dal terrore, e
chiese a Muzio di nascondere subito quei rettili odiosi.
A cena Muzio offrì ai suoi amici del vino di Shiraz,[39]
versandolo da una bottiglia rotonda con il collo lungo
e sottile; grandemente profumato e denso, di colore do-
rato con un riflesso verde, questo vino scintillava in
modo enigmatico, dentro minuscole coppette di dia-
spro. Di sapore non era simile ai vini europei; era molto dolce e frizzante e, bevuto subito, a piccoli sorsi, suscitava in tutte le membra una sensazione di piacevole
sonnolenza. Muzio costrinse Fabio e Valeria a gustarne
almeno una coppa, e lui stesso ne bevve una. Sulla piccola coppa di lei egli, chinandosi, bisbigliò qualcosa,
muovendo le dita. Valeria lo notò; ma poiché nel contegno di Muzio, in tutti i suoi modi di fare, c'era qualcosa
di estraneo e di insolito, ella pensò soltanto: «Forse in
India ha accolto una qualche nuova fede, oppure lag-
giù tali sono le abitudini?». Poi, dopo un po' di silenzio,
gli chiese se, durante il suo viaggio, egli avesse conti-
nuato a occuparsi di musica. In risposta, Muzio ordinò
al malese di portargli il suo violino indiano. Era simile
ai nostri, solo che invece di quattro corde, ne aveva tre;

[39] Famosa, ricca, favolosa città della Persia meridionale, patria del
grande poeta Saadi.

sulla sua parte superiore era tesa una pelle di serpente azzurrastra, il sottile archetto di canna aveva la forma di un semicerchio, e sulla sua punta brillava un puntuto diamante.

Muzio suonò dapprima alcuni canti malinconici, canti popolari a suo dire, strani e persino selvaggi per un orecchio italiano; il suono delle corde metalliche era lamentoso e debole. Ma quando Muzio cominciò l'ultimo canto, questo stesso suono si rafforzò all'improvviso, tremolò sonoro e forte; una melodia appassionata fluì sotto l'archetto ampiamente mosso, fluì in belle curvature, come quelle del serpente che ricopriva con la sua pelle la parte superiore del violino; e con un tale ardore, una tale gioia trionfante risplendeva e ardeva questa melodia, che Fabio e Valeria provarono una stretta di cuore, e le lacrime spuntarono dai loro occhi... ma Muzio, con la testa china, appoggiata al violino, con le guance impallidite, con le sopracciglia che formavano un'unica linea, sembrava ancora più concentrato e solenne, e il diamante dell'archetto gettava durante i movimenti, delle scintille e dei raggi, come se si fosse esso stesso incendiato al fuoco di quella divina canzone. Quando poi Muzio finì, e stringeva ancora fortemente lo strumento tra il mento e la spalla, lasciò cadere la mano che reggeva l'archetto. «Che cos'è questo? Che cosa hai suonato?» esclamò Fabio. Valeria non pronunciò una parola, ma pareva che con tutto il suo essere ripetesse le parole del marito. Muzio pose il violino sul tavolo, e scuotendo lievemente i capelli, disse con un gentile sorriso: «Questo? Questa melodia, questo canto io l'ho sentito una volta nell'isola di Ceylon. Questo canto ha fama, tra la gente, di essere il canto dell'amore felice, soddisfatto». «Ripetilo», bisbigliò Fabio. «No, non si può ripetere, – rispose Muzio, – ora è tardi. La signora Valeria deve riposare; e anche per me è tempo... sono stanco.» Nel corso del-

l'intero giorno Muzio si era rivolto a Valeria in modo
semplice e rispettoso, come un vecchio amico; nell'an-
darsene, però, le strinse la mano in modo forte, molto
forte, premendo con le dita sul suo palmo e guardandola così fissamente nel volto, che lei, pur non alzando
le palpebre, sentì questo sguardo sulle sue guance che
a un tratto avvamparono. Non disse nulla a Fabio, ma
strappò la mano, e quando Muzio si allontanò, guardò
la porta dalla quale era uscito. Ella ricordò come anche negli anni passati avesse avuto timore di lui... e ora
la prese un'incertezza. Muzio se ne era andato nel suo
padiglione e i due coniugi si ritirarono nella loro camera da letto.

Valeria tornò ad addormentarsi; il suo sangue era emozionato, in modo piano e languido, e nella sua testa sentiva dei suoni lievi... a causa di quello strano vino, come ella supponeva, o forse a causa dei racconti di Muzio, o del suono del suo violino... Al mattino finalmente si addormentò, e sognò un sogno inconsueto.

Le parve di entrare in una vasta stanza dalla volta bassa... Una simile stanza non l'aveva mai veduta. Tutte le pareti mostravano delle piastrelle azzurre con delle «erbe» dorate; sottili colonne intagliate di alabastro sorreggevano la cupola di marmo; questa stessa cupola e le colonnine sembravano semitrasparenti. Una luce pallido-rosata penetrava dappertutto nella camera, illuminando tutti gli oggetti di una luce misteriosa e uniforme; cuscini di broccato giacevano su uno stretto tappeto, proprio in mezzo al pavimento, liscio come uno specchio. Agli angoli in modo appena percettibile fumavano degli alti incensieri, che raffiguravano animali mostruosi; non c'era alcuna finestra; la porta, ricoperta da una tenda di velluto, nereggiava silenziosa nella nicchia di un muro. E a un tratto questa tenda scivolò via silenziosamente, si spostò, ed entrò Muzio. Si inchinò, aprì le braccia, rise... Le sue dure braccia afferrarono il corpo di Valeria; le sue labbra secche la bruciarono tutta... Ella cadde supina, sui cuscini...

Gemendo per lo spavento, dopo lunghi sforzi, Valeria si svegliò. Ancora non comprendendo dove fosse e che cosa le fosse accaduto, si sedette sul letto, si guardò intorno... Un tremore la percorse per tutto il corpo... Fabio giaceva al suo fianco. Dormiva; ma il suo volto, alla luce della luna rotonda e luminosa che guardava dalla finestra, era pallido, come quello di un morto. Valeria svegliò il marito che, non appena la guardò, esclamò: «Che ti accade?». «Ho fatto... ho fatto un sogno spaventoso,» bisbigliò, ancora tremante...

Ma in questo stesso momento dal padiglione vennero dei suoni forti, ed entrambi, Fabio e Valeria, riconobbero la melodia che aveva suonato loro Muzio, la melodia chiamata dell'amore soddisfatto, trionfante. Fabio, perplesso, guardò Valeria... che aveva chiuso gli occhi e si era voltata, ed entrambi, trattenendo il respiro, ascoltarono il canto fino alla fine. Quando l'ultimo suono si spense, la luna si nascose dietro una nuvola e nella stanza all'improvviso fu buio... I sue sposi abbandonarono la testa sui cuscini, senza scambiarsi una parola, e nessuno dei due si accorse quando l'altro si addormentò.

V

Muzio, il mattino dopo, venne per la colazione; sembrava contento, e salutò con allegria Valeria. Ella gli rispose turbata, lo guardò di sfuggita, e provò terrore per il volto di lui contento e allegro, per i suoi occhi penetranti e curiosi. Muzio aveva già cominciato a raccontare di nuovo, ma Fabio lo interruppe alla prima parola.

– Evidentemente non sei riuscito ad addormentarti nel nuovo posto? Io e mia moglie ti abbiamo sentito suonare la canzone di ieri sera.

– Ah sì? Avete sentito? – disse Muzio. – Io l'ho suonata proprio, ma mi ero addormentato prima, e ho fatto un sogno stupefacente.

Valeria si fece attenta.

– Quale sogno? – chiese Fabio.

– Ho visto, – disse Muzio, senza togliere gli occhi di dosso da Valeria, – come se fossi entrato in una vasta stanza, con la volta, decorata secondo il costume orientale. Colonne intagliate sorreggevano la cupola, le pareti erano coperte di piastrelle, e benché non ci fossero né finestre, né candele, una luce rosata empiva tutta la camera, come se fosse fatta di pietra trasparente. Agli angoli fumavano degli incensieri cinesi, sul pavimento erano sparsi cuscini di broccato lungo uno stretto tappeto. Entrai attraverso una porta, riparata da una tenda, e da un'altra porta, proprio di contro, apparve una donna, che un tempo avevo amato. E mi sembrò a tal punto bella, che io mi infiammai subito dell'antico amore...

Muzio, significativamente tacque. Valeria stava seduta immobile e solo era lievemente impallidita... Il suo respiro divenne più profondo.

– Allora, – continuò Muzio, – mi svegliai e suonai quella canzone.

– E chi era questa donna? – chiese Fabio.

– Chi era? La moglie di un indiano. L'avevo incontrata nella città di Delhi... Non è più viva. È morta.

– E il marito? – chiese Fabio, senza sapere perché faceva questa domanda.

– Il marito, pure, dicono, è morto. Presto li ho perduti di vista.

– Che strano! – osservò Fabio. – Anche mia moglie questa notte ha fatto un sogno insolito, – Muzio guardò fisso Valeria, – però non ha voluto raccontarmelo, – aggiunse Fabio.

Ma qui Valeria si alzò e uscì dalla stanza. Subito dopo la colazione Muzio uscì, spiegando che doveva andare a Ferrara per delle faccende, e che non sarebbe tornato prima di sera.

Alcune settimane prima del ritorno di Muzio, Fabio aveva incominciato il ritratto della moglie, la raffigurava con l'aspetto di Santa Cecilia. Egli era progredito notevolmente nella sua arte; il famoso Luini, scolaro di Leonardo da Vinci, era venuto da lui a Ferrara, e l'aveva aiutato con i suoi consigli, gli aveva anche trasmesso le indicazioni del suo maestro. Il ritratto era quasi finito; rimanevano alcuni tratti del volto, e Fabio avrebbe potuto giustamente essere orgoglioso della sua opera. Dopo che Muzio fu partito per Ferrara, Fabio si recò nel suo studio, dove Valeria di solito lo aspettava; ma egli là non la trovò; la chiamò, ma Valeria non rispondeva. Una segreta inquietudine prese Fabio, che si mise a cercarla. A casa, non c'era; Fabio corse nel giardino, e là, in uno dei viali più remoti, vide Valeria. Con la testa china sul petto, con le mani incrociate sulle ginocchia, sedeva su una panca, e dietro a lei, stagliato sul cupo verde di un cipresso, c'era un satiro di marmo; con il volto deformato da un avido riso di scherno, applicava le sue labbra affilate a un flauto. Valeria si rallegrò visibilmente dell'arrivo del marito, e alle sue inquiete domande rispose che le doleva un poco la testa; ma che questo non significava nulla, e che era pronta ad andare alla seduta. Fabio l'accompagnò nello studio, la fece sedere, prese il pennello; ma con sua grande stizza non riuscì in nessun modo a terminare il volto come avrebbe voluto. E non perché fosse un

po' pallido e sembrasse estenuato... no; ma quella
espressione pura, santa, che tanto a lui piaceva, e che
gli aveva ispirato l'idea di rappresentare Valeria nell'a-
spetto di Santa Cecilia, oggi non la trovava più.[40] Alla
fine gettò il pennello, disse alla moglie che non si sentiva, che anche a lei non avrebbe fatto male coricarsi,
perché il suo aspetto pareva non del tutto sano, e appoggiò il cavalletto con il quadro voltato verso il muro.
Valeria fu d'accordo, aveva bisogno di riposare e, dopo
aver ripetuto che le doleva la testa, si ritirò nella sua
camera da letto.

Fabio rimase nello studio. Provava un turbamento
strano, a lui incomprensibile. La presenza di Muzio sotto il suo tetto, ed era stato proprio lui a invitarlo, lo
soffocava. E non perché fosse geloso... forse che era
possibile essere gelosi di Valeria? – ma perché nel suo
amico non riconosceva più l'antico compagno. Tutto
quello che di estraneo, di ignoto, di nuovo, Muzio aveva portato con sé da quei lontani paesi, e che, pareva,
gli era entrato nella carne e nel sangue, tutti questi artifici magici, questi canti, queste strane bevande, il malese muto, persino quell'odore acuto, piccante, che proveniva dall'abito di Muzio, dai suoi capelli, dal suo respiro, tutto questo suscitava in Fabio un sentimento simile alla diffidenza, e anche, persino simile al timore.
E perché quel malese, nel servire a tavola, guardava
lui, Fabio, con quella spiacevole attenzione? Certo,
qualcuno avrebbe potuto pensare che egli conoscesse
l'italiano. Muzio diceva che il malese, avendo offerto la
lingua, aveva fatto un grande sacrificio, e per questo
disponeva ora di una grande forza. Quale forza, e come avrebbe potuto ottenerla a prezzo della lingua?

[40] Santa Cecilia è considerata protettrice della musica. È quindi
un simbolo dell'armonia: l'irrompere de «Il canto dell'amore trionfante», e cioè della sensualità infera, simboleggiata anche dal satiro
di marmo del giardino, distrugge o intacca questa armonia.

Tutto questo era molto strano! Del tutto incomprensibile! Fabio si recò dalla sposa, nella camera da letto; Valeria giaceva sul letto, vestita, ma non dormiva. Nel sentire i suoi passi, sussultò, poi di nuovo si rallegrò, come in giardino. Fabio si sedette vicino al letto, la prese per mano e, dopo un momento di silenzio, le chiese quale insolito sogno l'avesse spaventata quella notte. Ed era un sogno del tipo di quello raccontato da Muzio? Valeria arrossì e disse in fretta: «O no, no! Ho visto... non so quale mostro, che voleva straziarmi». «Un mostro? In figura umana?» chiese Fabio. «No, di belva... di belva!» E Valeria si voltò e nascose nei cuscini il volto in fiamme. Fabio tenne ancora un poco la mano di Valeria; in silenzio la portò alle labbra, e si allontanò.

I due sposi passarono quel giorno in modo triste. Pareva che qualcosa di oscuro pendesse sulle loro teste... ma che cosa fosse non potevano definirlo. Volevano stare insieme, come se un pericolo li minacciasse; ma non sapevano che cosa dirsi l'uno all'altra. Fabio tentò di riprendere a lavorare al ritratto, di leggere l'Ariosto,[41] il cui poema, poco prima comparso a Ferrara, faceva un gran rumore in tutta Italia; ma non riusciva a fare niente... A tarda sera, proprio all'ora della cena, Muzio tornò.

[41] *L'Orlando Furioso* fu pubblicato a Ferrara nel 1536.

Sembrava tranquillo e contento, ma raccontò poche cose; più che altro interrogava Fabio sui vecchi conoscenti comuni, sulla campagna di Germania,[42] sull'imperatore Carlo; disse del suo desiderio di andare a Roma, per visitare il nuovo papa.[43] Di nuovo offrì a Fabio del vino di Shiraz e, in risposta al suo rifiuto, disse, come parlando tra sé: «Ora non è già più necessario». Tornato con la moglie nella camera da letto, Fabio si addormentò presto... e, svegliatosi un'ora dopo, poté constatare che nessuno condivideva il suo letto: Valeria non era con lui. Si alzò rapidamente, e in quel momento vide la moglie, in camicia da notte, che dal giardino entrava nella stanza. La luna splendeva chiara, benché un poco prima fosse caduta una lieve pioggerella. Con gli occhi chiusi, con l'espressione di un segreto orrore sul volto immobile, Valeria si avvicinò al letto e, dopo averlo tastato con le mani tese in avanti, in fretta e in silenzio si coricò. Fabio si rivolse a lei delle domande, ma ella non rispose. Sembrava dormisse. Egli la sfiorò e sentì sul suo abito, sui

---

[42] Non è chiaro a quale delle numerose guerre combattute in Germania (all'interno della grande contesa durata più di mezzo secolo tra la Spagna, la Francia e gli stati tedeschi) alludesse Muzio.

[43] In realtà Paolo III Farnese (1534-1549) era stato incoronato assai prima del 1542, anno della nostra vicenda, e prima anche della partenza di Muzio. Nel 1540 approvò l'ordine dei gesuiti e nel 1542 firmò l'atto costitutivo del tribunale dell'inquisizione, rinnovato sulla base del modello spagnolo.

suoi capelli, delle goccioline di pioggia, e sulla pianta
dei suoi piedi nudi, dei granelli di sabbia. Allora egli
saltò in piedi e corse nel giardino attraverso la porta
socchiusa. La luce della luna, luminosa fino alla crudeltà, illuminava tutti gli oggetti. Fabio si volse indietro e vide sulla sabbia del vialetto le tracce di una
doppia coppia di piedi, e un paio di quei piedi era
scalzo; queste tracce portavano a una pergola di gel-
somini che si trovava tra il padiglione e la casa. Si
fermò perplesso, ed ecco che, improvvisamente,
echeggiano di nuovo le note di quel canto che egli
aveva ascoltato la notte precedente! Fabio sussultò,
corse nel padiglione... Muzio stava in mezzo alla stanza, e suonava il violino. Fabio si gettò contro di lui.

– Tu sei stato nel giardino, sei uscito, il tuo vestito è
umido di pioggia?

– No... non lo so... mi pare... di non essere uscito... –
ripose Muzio, lentamente, come se fosse stupito del-
l'arrivo di Fabio e della sua agitazione.

Fabio lo prese per un braccio.

– E perché suoni questa canzone di nuovo? Forse
hai fatto ancora un sogno?

Muzio guarda Fabio, sempre stupito, e tace.

– Rispondimi!

– Si è alzata la luna, come uno scudo rotondo.
Come un serpente, scintilla il fiume...
L'amico si è svegliato, il nemico dorme –
Lo sparviero afferra una preda...
Aiutami! –

borbotta Muzio, con voce di cantilena, come se fosse in
deliquio.

Fabio arretrò di un due passi, si fermò su Muzio, pensò un poco... poi tornò in casa, nella camera da letto.

Con la testa china sulla spalla, le braccia abbando-
nate, senza forza, Valeria dormiva di un sonno pesante.

Egli non la svegliò subito... ma non appena ella vide il suo volto, gli si buttò al collo, lo abbracciò spasmodicamente. Tutto il suo corpo tremava.

– Che ti è accaduto, mia cara, che ti è accaduto? – ripeteva Fabio, cercando di quietarla. Ma ella continuava a restare immobile, sul suo petto.

– Che sogni spaventosi vedo, – bisbigliava Valeria, stringendosi a lui con il volto. Fabio avrebbe voluto chiederle... ma lei tremava soltanto...

I vetri delle finestre si arrossarono del lieve riflesso del mattino, quando Valeria finalmente si addormentò tra le sue braccia.

VIII

Il giorno dopo Muzio sparì dal mattino, e Valeria dichiarò al marito che aveva deciso di recarsi nel vicino monastero, dove abitava il suo padre spirituale, un vecchio e grave monaco, per il quale ella nutriva una illimitata fiducia. Alle domande di Fabio ella rispose che desiderava alleggerire la propria anima, appesantita dalle insolite impressioni di quegli ultimi giorni. Fabio, guardando il volto dimagrito di Valeria, ascoltando la sua voce spenta, approvò pienamente questa decisione: il venerabile padre Lorenzo poteva offrirle un utile consiglio, dissipare i suoi dubbi. Con la scorta di quattro accompagnatori, Valeria si diresse al monastero; Fabio rimase a casa e, prima del ritorno della moglie, vagò nel giardino, cercando di capire che cosa le era capitato: sentiva una continua paura, e ira, e dolore per i sospetti imprecisi. Più di una volta andò al padiglione; ma Muzio non era ritornato e il malese guardò Fabio come una statua, chinando servilmente la testa, ma con un sorriso – così parve almeno a Fabio – un sorriso remoto nascosto sul volto di bronzo. Intanto Valeria in confessione narrava tutto al suo padre spirituale, non tanto con vergogna, quanto con terrore. Il confessore l'ascoltò attentamente, le perdonò l'involontario peccato e tra sé pensò: «Incantesimo, filtri diabolici... non si può lasciar perdere questo» e, con Valeria, si avviò alla villa, come per tranquillizzarla e confortarla definitivamente. Alla vista del monaco Fabio si turbò un

poco; ma il vecchio, che aveva molta esperienza, aveva
già pensato a come comportarsi con lui. Rimasto solo
con Fabio, certamente, non tradì il segreto di Valeria,
ma gli consigliò di allontanare dalla casa, se possibile,
l'ospite che aveva invitato, che con i suoi racconti, canti, con tutta la sua condotta aveva turbato l'immaginazione di Valeria. Inoltre, secondo l'opinione del vecchio, Muzio anche prima, se ben ricordava, non era mai
stato fermo nella fede, e, rimasto tanto tempo in paesi
non illuminati dalla luce del cristianesimo, aveva potuto portare di là il contagio di false dottrine, aveva potuto persino venire a conoscere i misteri della magia; e
per questo, benché l'antica amicizia avesse i suoi diritti, tuttavia una saggia cautela, indicava la necessità di
una separazione! Fabio fu pienamente d'accordo con il
venerabile monaco, e Valeria si illuminò persino tutta,
quando Fabio le comunicò il consiglio del suo padre
spirituale, e, accompagnato dagli auguri riconoscenti
dei due coniugi, fornito di ricchi doni per il monastero
e per i poveri, padre Lorenzo ritornò a casa sua.

Fabio aveva deciso di spiegarsi con Muzio subito
dopo cena; ma il suo strano ospite non tornò a cena.
Allora Fabio decise di rimandare il discorso con Muzio
al giorno seguente, ed entrambi i coniugi si ritirarono.

Valeria si addormentò subito, ma Fabio non riuscì a farlo. Nel silenzio notturno gli si presentava in modo ancora più vivo tutto quello che aveva visto, tutto quello che aveva provato; in modo ancora più insistente si poneva i problemi per i quali, come prima, non trovava risposta. Muzio era proprio diventato uno stregone, e aveva veramente avvelenato Valeria? Ella era malata... ma di quale malattia? Alla fine, con la testa poggiata su una mano e con respiro affannoso, si abbandonò a una grave meditazione. La luna era salita di nuovo nel cielo senza nubi; e con i suoi raggi, attraverso i vetri semitrasparenti delle finestre, dalla parte del padiglione, incominciò a fluire (o così parve a Fabio) un soffio, simile a una lieve corrente profumata... ed ecco che si sente un bisbiglio ossessivamente, appassionato... e nello stesso momento egli si accorse che Valeria cominciava a muoversi debolmente. Fabio si scosse, guarda: Valeria si siede, mette giù prima una gamba, poi l'altra dal letto, e come una lunatica, fissando avanti a sé con occhi senza vita, tende in avanti le braccia, e si dirige verso la porta del giardino! Fabio immediatamente balzò verso l'altra porta della camera da letto e, correndo agilmente dietro l'angolo della casa, chiuse la porta che dava sul giardino. Non appena riuscì ad afferrare la serratura sentì che qualcuno tentava di aprire la porta dall'interno... ancora e ancora... poi echeggiarono tremuli lamenti...

«Ma Muzio non è tornato dalla città», passò nella mente di Fabio, ma poi corse verso il padiglione...

E che cosa vide?

Incontro a lui, sulla strada tutta illuminata dai raggi lunari, veniva, pure come un lunatico, pure con le braccia tese in avanti, e gli occhi aperti ma senza vita, veniva Muzio... Fabio corse verso di lui, ma quello, senza notarlo, procedeva misuratamente passo dopo passo, e il suo volto immobile rideva ai raggi della luna, come il riso del malese. Fabio voleva chiamarlo per nome... ma in questo momento sente: dietro di lui, nella casa, una finestra aveva fatto rumore... Si volta...

Proprio così: la finestra della stanza da letto si era aperta dall'alto in basso, e Valeria, con una gamba attraverso il davanzale, stava alla finestra... le sue braccia sembravano cercare Muzio... ella era tutta tesa verso di lui.

Un indicibile furore riempì il petto di Fabio come un'ondata sopravvenuta all'improvviso. «Maledetto stregone!» sibilò in modo furente, e afferrato Muzio con una mano per la gola, con l'altra mano sentì il pugnale che teneva alla cintura, e glielo ficcò nel fianco fino all'elsa.

Muzio gridò in maniera penetrante e, premendosi la ferita con la mano, corse indietro al padiglione, incespicando... Ma in quello stesso momento in cui egli aveva colpito Muzio, anche Valeria aveva gridato in modo penetrante e, come colpita, era caduta a terra.

Fabio si gettò verso di lei, la sollevò, la portò sul letto, parlò con lei...

A lungo giacque immobile; ma finalmente aprì gli occhi, sospirò profondamente, in modo affannoso e gioioso, come una persona appena salvata da sicura morte, vide il marito e, abbracciandogli il collo, si strinse al suo petto. «Sei tu, sei tu», balbettava. Poco a poco le sue braccia si schiusero, la testa si chinò indietro e lei bisbigliò con un beato sorriso: «Grazie a Dio, tutto è finito... Ma come sono stanca!» e si addormentò di un sonno profondo ma non pesante.

X

Fabio si lasciò cadere accanto a lei, sul letto, e senza staccare gli occhi dal volto, pallido e dimagrito, ma già placato, cominciò a pensare a quello che era accaduto... e anche a come avrebbe ora dovuto fare. Che cosa decidere? Se aveva ucciso Muzio, e ricordò come profondamente il pugnale era penetrato, per cui non c'erano dubbi, se aveva ucciso Muzio, non era possibile tenerlo nascosto! Bisognava quindi che il fatto fosse conosciuto, dal duca, dai giudici... ma come spiegare, come raccontare una cosa così incomprensibile? Egli, Fabio, aveva ucciso a casa sua, il suo parente, il suo migliore amico. Si sarebbero messi a fare delle domande: perché? Per che motivo?... Ma se Muzio non fosse stato ucciso? Fabio non ebbe la forza di rimanere all'oscuro, su questo fatto e, dopo essersi asssicurato che Valeria dormiva, cautamente si alzò dalla poltrona, uscì di casa e si diresse al padiglione. Tutto era tranquillo; solo a una finestra si vedeva una luce. Con il cuore che gli mancava aprì la porta esterna (sulla quale era rimasta la traccia delle dita insanguinate, e anche sulla sabbia del vialetto nereggiavano gocciole di sangue), attraversò la prima stanza, buia... e si fermò sulla soglia, colpito dallo stupore.

In mezzo alla stanza, su un tappeto persiano, con un cuscino di broccato sotto la testa, coperto da uno scialle rosso con ricami neri, giaceva Muzio, con tutte le membra tirate, rigide. Il suo volto era giallo come la ce-

ra, gli occhi chiusi, le palpebre bluastre rivolte al soffitto, non si notava il respiro: pareva morto. Ai suoi piedi,
pure avvolto in uno scialle rosso, stava il malese, ingi-
nocchiato. Teneva nella mano sinistra il ramo di una
pianta sconosciuta, simile alla felce e, un po' chino in
avanti, guardava il suo padrone, senza distogliere lo
sguardo. Una piccola fiaccola, fissata al pavimento, ardeva di una luce verdognola, e, da sola, illuminava la
stanza. La fiamma non ondeggiava e non fumava. Il
malese non si mosse all'entrata di Fabio, gli diede solo
un'occhiata, e di nuovo si mise a fissare Muzio. Di tanto in tanto alzava e abbassava il ramo, lo scuoteva in
aria, e le sue labbra mute si aprivano e si muovevano
lentamente, come se pronunciasse delle parole senza
suono. Tra il malese e Muzio sul pavimento giaceva il
pugnale, con il quale Fabio aveva colpito il suo amico;
il malese una volta colpì con il suo ramo la lama insan-
guinata. Passò un minuto... un altro. Fabio si avvicinò
al malese e, chinandosi verso di lui, chiese sotto voce:
«È morto?». Il malese chinò la testa dall'alto in basso
e, liberata la mano destra da sotto lo scialle, indicò im-
periosamente la porta. Fabio avrebbe voluto ripetere
la domanda, ma la mano imperiosa ripeté il gesto, e Fabio uscì, sdegnato e stupito. Ma ubbidì.

Trovò Valeria che dormiva, come prima, con il volto
ancora più tranquillo. Egli non si spogliò, si sedette sotto la finestra, si appoggiò alla mano, e di nuovo si immerse nei pensieri. Il sole che si alzò lo trovò nello
stesso posto. Valeria non si era svegliata.

Fabio voleva aspettare il risveglio di Valeria e andare a Ferrara, quando, improvvisamente, qualcuno bussò piano alla porta della stanza da letto. Fabio uscì e vide il suo vecchio maggiordomo, Antonio.

– Signore, – cominciò il vecchio – il malese ci ha ora comunicato che il signor Muzio si sente poco bene e desidera trasferirsi in città, con tutti i suoi bagagli; per questo vi chiede di dargli, per aiuto, degli uomini per impacchettare le cose, e, per l'ora di pranzo, di mandargli dei cavalli da soma e da sella, con alcuni accompagnatori. Siete d'accordo?

– Te l'ha spiegato il malese? – chiese Fabio. – E come, se è muto?

– Ecco la carta, signore, in cui tutto questo è scritto nella nostra lingua, e in modo corretto.

– E Muzio, tu dici, è malato?

– Sì, molto malato, e non lo si può vedere.

– E non hanno mandato a chiamare un medico?

– No. Il malese non l'ha permesso.

– E questo l'ha scritto il malese?

– Sì, proprio lui.

Fabio tacque un momento.

– Sia, disponi tutto, – disse poi alla fine.

Antonio si allontanò.

Fabio, perplesso, seguì con lo sguardo il suo servitore.

«Ma allora non è stato ucciso?» pensò... e non sapeva se rallegrarsene o essere scontento. Malato? Ma qualche ora fa sembrava morto!

Fabio tornò da Valeria. Ella si svegliò e alzò la testa. I due sposi si scambiarono un lungo sguardo, significativo. «Non c'è più?» chiese a un tratto Valeria. Fabio sussultò. «Come... no? Che cosa vuoi dire?» «Se n'è andato?» continuava lei. Fabio provò sollievo. «Non ancora. Se ne va oggi.» «E io non lo vedrò più, non lo vedrò più?» «Mai più.» «E quei sogni non si ripeteranno?» «No.» Valeria di nuovo fece un sospiro di gioia; un felice sorriso apparve di nuovo sulle sue labbra. Tese le mani al marito. «E noi non parleremo mai più di lui, mai più, senti, mio caro? Non uscirò dalla mia camera fino a quando lui se ne andrà. E tu ora mandami le mie cameriere... Aspetta: prendi questa cosa! – e indicò la collana di perle, che giaceva sul tavolino di notte, la collana che le aveva regalato Muzio, – e gettala nel pozzo più profondo. Abbracciami: io sono la tua Valeria, e non tornare da me, fin quando... non se ne sarà andato.» Fabio prese la collana, le perle gli sembrarono più opache, ed eseguì l'ordine della moglie. Poi si mise a girare per il giardino, guardando di lontano il padiglione, vicino al quale era incominciato tutto il trambusto dell'imballatura. Gli uomini portavano fuori i bauli, cominciavano a caricare i cavalli... ma il malese non si vedeva. Un sentimento irrresistibile costrinse Fabio a guardare ancora una volta quello che succedeva nel padiglione. Ricordava che nella sua parte posteriore si trovava una porta nascosta, dalla quale si poteva penetrare nella stanza dove, quel mattino, giaceva Muzio. Egli passò furtivamente per quella porta e, scostate le pieghe della pesante tenda, gettò uno sguardo incerto.

Muzio non giaceva più sul tappeto. Vestito di un abito prezioso, sedeva su una poltrona, ma sembrava un cadavere, come durante la prima visita di Fabio. La testa impietrita era rovesciata sulla spalliera della poltrona e le mani, posate di piatto sulle ginocchia, erano gialle e immobili. Il petto non si sollevava. Vicino alla poltrona, sul pavimento, cosparso di erbe dissecate, stavano alcune coppe piatte contenenti un liquido oscuro, che emanava un odore forte, quasi soffocante, un odore di muschio. Intorno a ogni coppetta, facendo scintillare di tanto in tanto gli occhietti dorati, c'era un serpentello del colore del bronzo. E proprio di fronte a Muzio, a due passi da lui, si alzava la figura del malese, avvolto in una variopinta clamide di broccato, cinta da una coda di tigre, con un alto copricapo in forma di tiara con le corna. Ma egli non era immobile: ora si chinava con venerazione e come se pregasse, ora si raddrizzava in tutta la sua statura, si metteva persino in punta di piedi; ora in modo ritmico e ampio apriva le braccia, ora con insistenza le muoveva in direzione di Muzio e, sembrava, minacciava o dava ordini, aggrottava le sopracciglia e picchiava il piede. Tutti questi movimenti, evidentemente, gli costavano molta fatica, gli procuravano persino dolore: respirava in modo pesante, il sudore scorreva dal suo volto. A un tratto si fermò e, dopo aver inspirato aria, con la fronte corrugata, tese e tirò verso di sé le braccia irrigidite, come se tenesse delle redini... e, con orrore indescrivibile di Fabio, la testa di Muzio lentamente si staccò dallo schienale della poltrona e seguì i movimenti delle mani del malese... Il malese abbassò le mani e la testa di Muzio ricadde di nuovo indietro; il malese continuò nei suoi movimenti, e la testa obbediente ripeté questi movimenti. Il liquido oscuro nelle coppette sfrigolava; le coppette stesse risuonavano di un suono sottile, e i serpentelli di bronzo come onde si muovevano intorno a ciascuna di esse. Allora il malese fece un passo avanti e, alzate le sopracciglia, e aperti enormemente gli occhi, scosse la testa di Muzio... le palpebre del morto si misero a tremare, si schiusero in modo disuguale, e di sotto apparvero le pupille, fosche come piombo. Il volto del malese risplendette di un orgoglioso trionfo e di gioia, di una gioia quasi maligna; spalancò le sue labbra e proprio dal profondo della sua gola con sforzo uscì un grido prolungato... Le labbra di Muzio pure si aprirono, e un debole lamento tremò su quelle labbra, in risposta a quel suono disumano...

Ma qui Fabio non resistette oltre: capiva di aver assistito a non sapeva quali operazioni diaboliche! Anch'egli si mise a gridare e fuggì a casa sua, senza voltarsi, ripetendo delle preghiere e facendosi il segno della croce.

XIII

Circa tre ore dopo Antonio comparve, riferendo che
tutto era pronto, i bagagli erano sistemati, e il signor
Muzio si preparava a partire. Senza dire una parola al
suo servitore, Fabio uscì sulla terrazza dalla quale si vedeva il padiglione. Alcuni cavalli da soma erano adu-
nati davanti a lui; proprio al pianerottolo d'ingresso fu
condotto un potente cavallo morello con l'alta sella,
preparata per due cavalieri. Lì stavano dei servitori
con la testa scoperta, scorte armate. La porta del padiglione si aprì e, sostenuto dal malese, di nuovo con il
suo abito consueto, apparve Muzio. Il volto era quello
di un morto e le braccia pendevano, come quelle di un
morto, ma egli camminava... sì, camminava, e, posto sul
cavallo, si tenne diritto e cercò a tastoni le redini. Il malese gli mise i piedi nelle staffe, saltò anche lui sulla sella, dietro Muzio, afferrò con la mano la vita del padrone, e tutto il corteo si mosse. I cavalli andavano al passo e quando essi svoltarono davanti alla casa, a Fabio
parve che sul volto scuro di Muzio balenassero due
bianche macchioline... Forse aveva rivolto le pupille
verso di lui? Il solo malese si inchinò a lui... al solito
con aria di scherno.

Valeria vide tutto questo? Le gelosie delle sue finestre erano chiuse... ma forse lei stava lì dietro.

All'ora di pranzo Valeria scese nella sala ed era molto tranquilla e carezzevole; tuttavia si lamentava ancora per la stanchezza, ma in lei non c'era più inquietudine, né il continuo stupore di prima e la segreta paura; e quando, il giorno successivo alla partenza di Muzio, Fabio si dedicò di nuovo al ritratto, egli vide nei suoi lineamenti quella espressione pura il cui momentaneo offuscamento l'aveva tanto colpito... e il pennello corse sulla tela lieve e sicuro.

I coniugi vissero la vita di prima. Muzio era sparito, per loro, come se non fosse mai esistito. E Fabio e Valeria furono d'accordo nel non nominarlo più, né di informarsi sul suo ulteriore destino: destino, del resto, che rimase per loro misterioso. Muzio era effettivamente scomparso, come se inghiottito dalla terra. A Fabio sembrò, una volta, che dovesse raccontare a Valeria quello che era accaduto in quella notte fatale... ma lei, probabilmente, indovinò la sua intenzione e trattenne il respiro, i suoi occhi si chiusero, come in attesa di un colpo... E Fabio capì: e questo colpo non glielo inferse.

In un bel giorno d'autunno Fabio terminò il ritratto della sua Cecilia; Valeria davanti all'organo, e le sue dita correvano sui tasti... Improvvisamente, contro la sua volontà, sotto le sue mani risuonò quel canto dell'amor trionfante che un tempo aveva suonato Muzio, e nello stesso momento, per la prima volta do-

po le loro nozze, ella sentì dentro di sé il tremito di
una nuova vita, che era nata... Valeria sussultò, si
fermò...

Che cosa voleva dire? Forse che...

Con queste parole termina il manoscritto.

INDICE

5 Introduzione

PRIMO AMORE

23 Capitolo I
26 Capitolo II
28 Capitolo III
30 Capitolo IV
38 Capitolo V
41 Capitolo VI
44 Capitolo VII
52 Capitolo VIII
56 Capitolo IX
63 Capitolo X
66 Capitolo XI
69 Capitolo XII
72 Capitolo XIII
75 Capitolo XIV
78 Capitolo XV
82 Capitolo XVI
89 Capitolo XVII
94 Capitolo XVIII
97 Capitolo XIX
99 Capitolo XX

103 Capitolo XXI
108 Capitolo XXII

111 Finale aggiunto all'edizione francese
    di *Primo Amore*

IL CANTO DELL'AMORE TRIONFANTE
(MDXLII)

117 Capitolo I
119 Capitolo II
122 Capitolo III
127 Capitolo IV
129 Capitolo V
131 Capitolo VI
134 Capitolo VII
137 Capitolo VIII
139 Capitolo IX
141 Capitolo X
143 Capitolo XI
145 Capitolo XII
147 Capitolo XIII
148 Capitolo XIV

BUR
Periodico settimanale: 9 giugno 2004
Direttore responsabile: Rosaria Carpinelli
Registr. Trib. di Milano n. 68 del 1°-3-74
Spedizione in abbonamento postale TR edit.
Aut. N. 51804 del 30-7-46 della Direzione PP.TT. di Milano
Finito di stampare nel maggio 2004 presso
il Nuovo Istituto Italiano d'Arti Grafiche - Bergamo
Printed in Italy

ISBN 88-17-00214-3